W9-AGJ-344

LA DOBLE HISTORIA DEL DOCTOR VALMY

MITO

Antonio Buero Vallejo

ANTONIO BUERO VALLEJO

LA DOBLE HISTORIA DEL DOCTOR VALMY

MITO

PRÓLOGO DE FRANCISCO GARCÍA PAVÓN

ESPASA-CALPE, S. A.
MADRID
1976

Edición especialmente autorizada por el autor para

SELECCIONES AUSTRAL

Depósito legal: M. 15.558-1976
ISBN 84-239-2015-1

Impreso en España
Printed in Spain

Acabado de imprimir el día 10 de mayo de 1976

Talleres tipográficos de la Editorial Espasa-Calpe, S. A.
Carretera de Irún, km. 12,200. Madrid-34

ÍNDICE

P R Ó L O G O

Antonio Buero Vallejo concluyó su «relato escénico en dos partes», titulado LA DOBLE HISTORIA DEL DOCTOR VALMY, en mayo de 1964. Desde entonces hasta febrero de 1976, que se estrenó en el Teatro Benavente de Madrid, sufrió una serie de «trámites administrativos» dignos de *Der Prozess*, de Kafka. Durante tantos años, idas y venidas de varios directores y empresarios por despachos y pasillos censores. En las distintas etapas del *prozess*, sugerencias sonreídas y amabilísimas para suprimir escenas, matizar expresiones y hasta cambiar nombres de los personajes. Había que eliminar la más remota posibilidad de que alguien pensara que este «relato» se refería a España. Sirva como ejemplo, que el doctor que da el título a la obra se llamaba Barga. Pero como Barga sonaba a español, a pesar de ser apellido frecuente en algunos pueblos eslavos, hubo que trocarlo por Valmy, nombre de una aldea francesa del departamento del Marne, donde las fuerzas francesas revolucionarias vencieron a los austroprusianos en 1792.

Pero a pesar de estos «trascendentes» cambios del nombre del Doctor y de algunos otros personajes, Buero no se avino a suprimir ciertas escenas y fragmentos también objetados. Pues supuso que en el caso que se aviniese a ello –lo que de ningún modo estaba dispuesto a hacer—, surgirían otros obstáculos para la autorización que ya le anunciaban: reservas para permitir o prohibir la obra según conviniera en las fechas en que se fijase el estreno, etc... Total, que no fue posible estrenar esta «doble historia» en doce años.

Y, como tantas obras y hombres españoles durante estos cuatro decenios, tuvo que salir a respirar más allá de las fronteras, antes de ser recibida en nuestras editoriales y escenarios. En 1967 se publicó en inglés y en español en la revista *Artes Hispánicas*, de Indiana University. En 1970, en Filadelfia, se edita para estudiantes de español, preparada por el profesor Alfonso M. Gil... Y antes, en 1968, para inaugurar The Gateway Theater, del condado inglés de Chester, su director, Julián Olfield, eligió el texto de Buero Vallejo, traducido al inglés, entre sesenta propuestas. Permaneció en cartel las dos semanas y media programadas, con claro éxito de crítica y de público. En 1971, ya en español, se representó en el Wright Theatre del Middlebury College, de Vermont (EE. UU.), bajo la dirección de Alfonso M. Gil.

A la decisión de Alberto González Vergel se debe la última y al fin feliz tentativa de estrenarla. La censura la autorizó suprimiendo dos o tres frases que, en el criterio del autor, en nada dañaban a la esencia de la obra, y el estreno se verificó, mediante una escenificación que la crítica ha considerado como una de las más acertadas del director, en el Teatro Benavente. Las fechas no fueron las mejores y el teatro al que la obra pudo acogerse tampoco gozaba del favor del público. Pero tanto el autor como el director comprendieron lúcidamente que la oportunidad no podía perderse... Por desgracia, para el mundo en que vivimos, el tema seguía actualísimo, y su tratamiento poético, tan personalísimo de Buero, no había perdido vigencia.

El estreno y representaciones subsiguientes constituyeron un éxito completo, como casi todas las arribadas escénicas del autor, en este caso acrecentado por el patetismo y permanente realidad del problema planteado, sin antecedentes, con esta categoría literaria, en el teatro comercial español, aunque en el minoritario y experimental no han faltado piezas dedicadas al tormento policiaco por causas políticas, en su aspecto más directo y quizá demagógico.

En el teatro de Buero Vallejo, como en la obra de todo autor con personalidad, hay unas constantes estéticas, sociales y morales, presentadas con las variantes y matizaciones que cada tema requiere. En LA DOBLE HISTORIA DEL DOCTOR VALMY están presentes. Pero potenciadas por la valentia de denunciar una lacra social, vigente en todos o casi todos los sistemas políticos, sea cual fuere su doctrina.

Entre estas constantes, hay que destacar ante todo su compromiso ético de transcendencia colectiva. Desde su primera obra estrenada, *Historia de una escalera*, su gran capacidad creadora, singularidad poética, reflejo de tal o cual estamento social, trazado de caracteres y virtuosismo de gran artífice dramático, siempre canalizan la denuncia de una injusticia, de una vergüenza social. Pero estos fines testimoniales y acusatorios no están expresados de manera simplista, directa y panfletaria. Su inteligencia, moderación y conciencia de la realidad en que hemos vivido no le permiten caer en tratamientos y soluciones formalistas. Sabe Buero que no lucha con esquemas artificiosos, con fórmulas estereotipadas, sino con males arraigados, tan viejos como la humanidad misma, y con entramado muy complejo de condicionamientos humanos. Buero no es un político dogmático, con fórmulas de urgencia para todo, y sí un moralista, consciente de la complejidad de cualquier comportamiento individual y social, cuya exposición y denuncia no se logra con definiciones tajantes o esquemas rígidos. «Tener la pretensión —ha dicho— de resolver en dos horas un problema de tal envergadura, es ridículo... Mi teatro es más interrogativo que resolutorio. La mayor eficacia de un texto —lo que podría aplicarse a casi toda la producción de Buero, e incluso a LA DOBLE HISTORIA DEL DOCTOR VALMY, no obstante ser ésta una de sus obras más directas— reside en las acusaciones sociales implícitas que el argumento conlleva, mientras las obras de carácter más explícito suelen limitar, paradójicamente, su fuerza acusatoria en vez de potenciarla. Es al espectador a quien incumbe el deber de tornar explícito a lo implícito y de buscar solución a las cuestiones planteadas.»

De esta actitud racional y responsable —que a veces le critican los impacientes partidarios del ataque directo, esquemático y didascálico— nace, naturalmente, la honda firmeza de esperanzas que sus obras, siempre conscientes de las tragedias que presentan, no ostentan con la somera seguridad de otros textos ajenos, pero que alientan en su seno trágico con invencible resolución. Buero no ignora la gran dificultad del camino que puede conducir a la liberación de los hombres, aunque, en el fondo de su corazón y de su obra, siempre aliente la esperanza, su fe en la capacidad del hombre para luchar por el bien de la justicia. Buero Vallejo, a través de su obra, como reflejo de esa difícil alternativa, pesimismo pasajero y esperanza siempre renaciente, cree que la torpe sociedad que formamos los hombres, así como la personal biografía de cada uno, no son fruto de apocalípticos destinos, ni sólo de aplastantes condicionamientos sociales, sino también de un propio comportamiento, de una debilidad y cobardía —o ceguera— ante las emergencias de opción que, si bien a menudo reducidas, siempre existen; de largas deformaciones psicosociales elaboradas durante siglos. Todos somos responsables de la miseria e injusticias que conforman nuestra convivencia, postergando consciente o inconscientemente nuestra posible capacidad para hacerla más justa y humana. Y es en ese sentido en el que su teatro es moral, aunque no niegue, no oculte las presiones sociales y de clase que rodean a sus personajes.

Por ese propósito ético y esperanzadamente justiciero, el teatro de Buero es una constante convocatoria, a la vez que acusación, del espectador, no con retahílas didácticas y doctrinarismos específicos, sino con la vergüenza, la lacra social y la injusticia, duramente expuestas... Y como contrapunto, el ejemplo de uno o varios seres conscientes —que después de una lucha interior, impuesta por la inercia y los convencionalismos— culmina en la catarsis, para que vislumbren los caminos de una perfección personal y de la liberación colectiva.

En LA DOBLE HISTORIA DEL DOCTOR VALMY se denuncia la lacra, la vergüenza social, tan vieja como la sociedad humana, de la tortura policiaca a los detenidos políticos, cuyo único delito es pensar de manera distinta a los que acaparan el poder y publicar fórmulas diferentes para el gobierno, mejora social y ética de los pueblos. Sí, el mal es tan viejo como el hombre y sus sociedades explotadoras; tan viejo como el absolutismo político o el dogmatismo religioso. Un mal... incrementado hasta la demencia, en los últimos cincuenta años, por la proliferación de las más claras —o sinuosas— formas de tiranía, practicadas a pesar de la *Declaración Universal de los Derechos del Hombre*, para todos los habitantes del mundo; del Segundo Concilio Vaticano, para los católicos... Y de vivir en una sociedad, cuyos medios de comunicación hacen ya imposible la ocultación de estos procedimientos «persuasorios». La racionalidad ética de Buero Vallejo no podía caer en la ingenuidad de parcializar, ni siquiera por razones de sus propias simpatías políticas, esta denuncia... En casi todos sus dramas, a pesar de sus hábiles elipsis, se traslucen el color y la topografía de los objetos de su informe. Desde *Historia de una escalera* a *El tragaluz*, el espectador menos avisado sabe a qué atenerse en cuanto a los objetivos ideológicos apuntados. Pero en LA DOBLE HISTORIA DEL DOCTOR VALMY, no, por clarísima decisión. Lo sitúa en Surelia, topónimo inventado por el autor para eludir claramente cualquier visión parcializada. Pues la tortura policiaca a los enemigos políticos, desgraciadamente la ejercen con similar crueldad y reiteración las más diversas clases de sociedades y Estados.

Este tema, y sus más dolorosas consecuencias, es frecuente en la obra de nuestro autor. En *La Fundación* y *Llegada de los dioses*, de manera parcial o sugerida, está. Las demás torturas no físicas, pero sí morales por la persecución o falta de libertad, abundan más todavía en buena parte de su obra. En todo caso su condición de ex preso político y condenado a muerte, es terrible vivencia que emerge frecuentemente en sus escritos. Tampoco cae en LA DOBLE HISTORIA DEL DOCTOR VALMY —ya lo apunté— en el tratamiento elemental y directo de la tortura y del torturado. Recurso muy repetido por el teatro-espectáculo —espectáculo sólo— ahora prodigado, pero sin entidad para un drama de profundos alcances. La concepción humanísima, en toda su complejidad de cualquier tema dramático, le lleva a una más amplia exposición de causas y efectos. A profundizar en protagonistas y antagonistas, en circunstancias imprevistas, inercias y desvíos. La conducta del ser más elemental siempre depende de muchas confluencias. Trabaja con núcleos humanos, cada uno de cuyos componentes, según su condición, mentalidad y circunstancias, coadyuva a modelar y colorear el propósito ético inicial, que en las últimas escenas no culminará como tesis expresa, y sí como «implícita acusación» que cada espectador habrá de asimilar, de acuerdo con su ética e inteligencia... y quizá contra sus propios intereses sociales.

En este «relato escénico» de Buero, que como toda su obra es «muy antiguo y muy moderno», de minerva personalísima –lo que en definitiva vale en todo tipo de creación–, el problema de la tortura no descansa en la víctima, Aníbal Marty –sólo presente unos minutos en la escena–, sino que a lo largo de toda la obra lo vivimos, reflejado, en los componentes del reparto, incluido el niño de cuna. El torturado, Aníbal Marty, no es el protagonista y sí la referencia desencadenante de todo el proceso reflejado en una serie de espejos. El primero y mayor, hasta el final del «relato», será el policía Daniel Barnes. E inmediatamente, su esposa Mary Barnes. Ambos receptores, ya muerto el torturado, serán los verdaderos protagonistas de la tragedia; torturadores torturados que explicitan la acusación del autor. Él, Daniel, por su profesión, aceptada y sostenida cobardemente a pesar de su sensibilidad; de ser dolorosamente consciente de la crueldad que encarna. Y ella, zarandeada por el deterioro de su vínculo matrimonial y el amor, ahora temeroso, a su hijo, crecientemente será convertida en acusadora, hasta alcanzar conciencia de una general solidaridad humana.

Otro espejo que refleja el conflicto es el comisario Paulus, «preceptor» de Barnes, que por deseo de venganza personal contra la madre de éste y el que fue su esposo, lo conduce hasta su terrible «especialidad»...

El cuarto gran espejo –cierto que iluminado por luces convencionales, pero más responsable del problema que todos, y que por ello encarna la «otra historia» a la que se refiere el título— es el matrimonio vestido de etiqueta, símbolo de las clases alegres y confiadas, las que siempre dicen, aunque son conscientes de su mentira —vaya usted a saber por qué complejo subconsciente de culpabilidad—, que «el mundo está bien hecho»; que la miseria, la degradación, la injusticia, y claro, la tortura, son «exageraciones o inventos».

El quinto espejo —aunque su culpabilidad es más compleja y está administrada con un sonotone— es la Abuela, la madre de Barnes, antigua pretendida de Paulus, que «no quiere» enterarse de la verdadera actividad de su hijo.

Y el coordinador de los reflejos de estos espejos, intermediario entre el público y los tres escenarios —incluido el de su clínica en algunos momentos—, el doctor Valmy, que a veces corta la acción, la palabra y el curso del tiempo, para glosar las primeras causas y últimas consecuencias de su «doble historia» como verdadero corifeo protagonista y actuante. El doctor Valmy es un psiquiatra sin pedanterías; inteligente y auténtico, que trata los desajustes mentales de algunos pacientes que directa o indirectamente protagonizan esta *Doble historia...*

¿Quién goza de total equilibrio mental? Me hago esta pregunta, porque algún cronista reprochó a Buero que todos los torturadores de su obra son unos desequilibrados (Barnes, Marsan, Luigi, Pozner... y claro, Paulus). Pero —y a esta conclusión llega el autor por boca de Valmy— *¿se puede ser una persona normal en una sociedad enferma?* El Doctor llega a esa angustiosa evidencia: hay que transformar a la sociedad entera y no sólo a cada hombre, pues Barnes no es un sádico ni un malvado, es un hombre corriente al que, sin embargo, un calculado lavado de cerebro, que funciona casi institucionalmente, le lleva a la terrible práctica profesional que acabará torturándole a él mismo. El Doctor aporta su grano de arena, pero comprende que él solo no puede *curar* a toda la sociedad, y ello sitúa a los espectadores ante la más desnuda responsabilidad colectiva.

No es cierto que los personajes de Buero Vallejo en *La doble historia* –como se apuntó con vidriosa intención– hayan nacido al servicio del propósito temático del autor al concebir la obra, pues Mary Barnes, contenta en el hogar que consiguió después de prolongada soltería, al enamorarse de Daniel, ha pasado felizmente los primeros tiempos de matrimonio, sin ocurrírsele indagar para nada las verdaderas características de la profesión de su esposo. Conforme con la versión oficial que le darían él y su suegra, su ignorancia no es intencionada, como la de la Abuela, la madre de Daniel. Esa conformidad parte de su satisfacción, tan femenina, al haber conseguido lo que más apetecía: casarse enamorada y tener un hijo... Pero cuando descubre la verdad a través de su ex alumna Lucila Marty, violada por la policía política de Surelia y esposa de Aníbal, castrado y luego muerto en el tormento, Mary, con todo el dolor de su alma, se enfrenta cruda y responsablemente con la verdad, hasta llegar a las últimas consecuencias. No se trata, pues, de una marioneta movida a capricho por el autor, sino de todo un carácter ricamente dibujado, cargado de humanidad.

Una de las grandes virtudes literarias de Buero Vallejo es su sabiduría para crear personajes singulares y humanísimos, completos, más allá de su vinculación circunstancial al tema propuesto en el que los vemos actuar. Es el caso de Daniel Barnes. No cabe duda de que su origen literario pudo ser un esquema; el hijo de viuda pobre, que, angustiado por la vida e inducido por otras personas, un día ingresa en la brigada criminal de Surelia, y tiempo después, una vez «preparado», en la policía política, especializada en torturar a los detenidos... También puede ser invención previa a la creación total del personaje —no surgida del curso de los acontecimientos— su impotencia sexual, como reflejo de la que él mismo causó a Aníbal Marty... Pero sobre estos presupuestos esquemáticos —punto de partida inexcusable de toda invención literaria—. Buero modela un hombre completísimo, dentro del cual, un día, lucharán la repugnancia por su profesión —repugnancia provocada por la intervención de su esposa— y su cobardía, que es casi una imposibilidad total para dejarla y llevar una vida digna.

El comisario Paulus tampoco es un cliché; es boceto, pero estupendo y sugeridor de un tipo humano —aquí, claro, con matices personalísimos y extraprofesionales— del que sobran ejemplos cuando la Prensa del mundo descubre las interioridades de las policías políticas. Y no hablemos del doctor Valmy, tan lejano del psiquiatra pedante de ciertas películas americanas. Con su conducta, forma de analizar y «juzgar» a los enfermos; sus titubeos humanísimos y confidencias sobre su íntima personalidad, hace de él su creador un ser humano, que más allá del «papel asignado» adquiere inolvidable vida propia.

No es cosa de enumerar la variedad y riqueza de tantos agonistas de las obras de Buero... Si de verdad hubiera servido sus alegatos testimoniales y críticos con estereotipos de «buenos» y «malos», como ocurría en el teatro social más elemental, no sería quien es.

Todos los componentes de la dramaturgia de Buero están en función de algo nimiamente meditado. Las presencias oníricas, de defectos físicos; ciertas situaciones y tipos simbólicos —que alguien con visión superficial o peyorativa pueda identificarlas con seres de cuerpo entero y secuencias clave— siempre descansan sobre una base real, para conseguir completar la humanidad de los personajes principales. El señor de esmoquin y la señora del traje de noche; la sordera de la Abuela —como otros muchos sordos, ciegos y mudos de sus obras anteriormente estrenadas— y no hablemos de los sueños de la señora de Barnes o del escueto trazado de los agentes Marsan, Pozner y Luigi, son recursos lícitos, a la vez que fecundísimos, para perfilar el contorno de su tema, potenciar personalidades, tensar el clima y multiplicar sugerencias.

Buero Vallejo fue, desde 1949, el creador de un nuevo teatro social en España, que conmovió totalmente el evasivo, conformista y evocador de las glorias pasadas que cundía en nuestra posguerra. Con él, aunque con sutil estrategia, volvió a los tablados la mayoría marginada y silenciada: el pueblo, con sus problemas reales y gravísimos, poniendo en cuarentena la «España feliz» que publicaban los voceros oficiales.

Buero Vallejo —como ya he apuntado— creó unos seres dramáticos diversos y completos, con muy difícil parangón en nuestra producción dramática de los últimos cuarenta años... Pero Buero Vallejo es también, nada más y nada menos, el gran trágico de la escena española contemporánea y de mucho tiempo más. España, país de tragedias, siempre fue alérgica al teatro que se las reflejara. En el teatro del siglo XVIII, tan proclive por la influencia francesa a volver a la tragedia de corte neoclásico, faltamos a la convocatoria con una sola firma digna de recordar. En el romanticismo, la tragedia brilla con frecuencia, pero más en función de una estética en boga que de un compromiso ético y testimonial. Valle-Inclán y Lorca, cada uno a su modo, entre los primerísimos autores del XX, la logran de manera genial, pero siempre matizada por escapes líricos o deformantes, que con frecuencia pueden —por puro gozo estético— distraer al espectador de la más soterrada intención del autor. Será Buero Vallejo, quien desde la primera a su última obra, con escasas omisiones, condicionará la meditada y salpicada evasión estética (símbolos, elementos oníricos, etc.) al significado más hondo de sus intentos trágicos. La desnudez de la tragedia pura –sea cual fuere su poética– con la adecuada austeridad formal y expresiva, de servicio minucioso al tema, es infrecuente hallarla en otro autor de nuestro teatro. El valor testimonial de sus tragedias, la intensidad catártica que consigue con ellas ante los públicos más varios, y sobre todo su insistencia en el género, lo convirtieron en el trágico más completo y definido de nuestra historia dramática.

Buero obligó al espectador español a resignarse –es más–, a aficionarse a la tragedia. A enfrentarse con las lacras de la sociedad, no situadas ante el telón grotesco de Arniches, lírico de Lorca o esperpéntico de Valle-Inclán –hablo de estética y no de categorías, claro está– mediante la tragedia desnuda, directamente denunciadora y con propósitos purificadores. Prescindió –no faltaba más (aunque en algunas ocasiones recurrió a ellas)– de las unidades de lugar y tiempo, del lenguaje enfático –el de Buero es liso y directo–. Pero cuidó por todos los medios de no distraer al espectador de sus propósitos purgativos éticos y sociales. Todos los recursos estéticos de Buero Vallejo –siempre medidos– están al servicio de su eficacia trágica. Le importa sobre todo la lección, aunque sea tan cuidadoso buscador y cultivador de formas y efectos escénicos.

LA DOBLE HISTORIA DEL DOCTOR VALMY es, entre sus tragedias más logradas, la de mayor efecto catártico, por la dureza, actualidad y universalidad del tema... Durante su representación, se producen en el público silencios y respiros desusados en el mejor teatro de la posguerra española.

No obstante lo dicho, Buero, como gran creador, no supedita sus fábulas a una determinada estética o escuela dramática. Es el tema, las situaciones de él derivadas y el carácter de los personajes, quienes dictan la estructura y modelado. Maneja con pulso todos los recursos nuevos y viejos de la técnica teatral. Desde el más puro psicologismo al símbolo, la expresión onírica, la simultaneidad de escenarios, la unidad de tiempo —*Madrugada*— y hasta el realismo naturalista cuando lo considera conveniente para su propósito. En *Llegada de los dioses*, por ejemplo, dominan los elementos surrealistas. En *Historia de una escalera*, el más directo realismo compone el concierto total..., etc.

El teatro de Buero Vallejo, como obra de autor con verdadera personalidad, excede toda poética rígida, la concesión a cualquier esnobismo, y se ciñe, con la mayor autenticidad, al camino que pide el desarrollo del tema según su insobornable yo.

*

MITO, segunda pieza de este tomo, es «libro para una ópera»... que no logró música que lo completase. A muchos seguidores de Buero les extrañará esta incursión en el género lírico. Escrito en verso libre, es tal vez su gran logro de teatro total.

No fue idea suya el escribirlo. Se lo pidió «un prestigioso músico español»[1], cuyo nombre omite. Había buenas perspectivas para estrenarla en el extranjero, y convenía basarlo en un tema muy español y a la vez universal. Esta condición debió de decidirlo a tan desusada expresión en su bibliografía teatral... Pues el tema más universal de la

[1] Los textos del autor referidos a *Mito* citados en este prólogo, proceden de un artículo ritulado «Del quijotismo al "mito" de los platillos volantes». *Primer Acto*, núm. 100-101, págs. 73-74.

literatura española, el de don Quijote, da la casualidad que es una de las grandes debilidades de Buero, glosado, recreado o sugerido en buena parte de sus obras (*Un soñador para un pueblo*; el Ignacio de *En la ardiente oscuridad*; el David de *El concierto de San Ovidio*; el Loco de *El tragaluz*, el personaje femenino de *Irene y el tesoro*, etc.). De modo que escribió el libreto que le pedían, volviendo, y ahora de manera mucho más completa, a su amada fábula cervantina. Trabajó en él durante largos meses de 1967... Pero no pudo estrenarse, porque aquel prestigioso músico español no compuso la partitura. Y quedó en mero texto para que cada lector pueda ponerle la música que guste.

Otras razones movieron a Buero: una, su convicción de que el teatro lírico ofrece más caminos al gran espectáculo, al teatro total. Otra: que la ópera, tan superada por sus temas y estética tradicionales, merecía un intento de hodiernidad, sin salirse de las constantes más profundas de todo su teatro.

Es curioso —y valga el inciso— que los recursos simbólicos, tan abundantes como contrapuntos en la dramaturgia de Buero, en MITO, son el eje central. En esta ópera, el drama directo y crítico yace bajo los símbolos o mitos... Bien es verdad —y valga como una justificación más de esta metamorfosis estética— que a todo tipo de teatro lírico, y máxime a esta ópera, al novísimo modo concebida, le va mejor la metáfora o el símbolo que la acción directa.

Buero dio una razón muy interesante y valiente en estos tiempos para justificar el tema y título de su libreto: «Ante la insistencia, ya casi rutinaria, con que se viene invocando la actitud desmitificadora como la única plausible en un teatro que se pretende acorde con la realidad del mundo de hoy, suelo reiterar, desde hace tiempo, el papel positivo de lo mítico. Desmitificar es saludable y necesario, pero no es, creo, la fórmula definitiva de un arte finalmente desenajenado. Desmitificar es relativamente fácil; la dificultad —y el hallazgo— del arte consiste en volver a mitificar, del modo más real, con los escombros de las desmitificaciones...»

Como quedó dicho, el tema español —universal— elegido por Buero Vallejo para MITO, fue el de la gran novela cervantina..., pero injertado en otro mito actual: el de los «platillos volantes», en su versión de conductores de marcianos. Estamos ante una recreación quijotil. Queda evidente desde la primera escena, en la que unos actores —teatro en el teatro— interpretan los últimos momentos de la agonía de don Alonso Quijano. Acabada esta «función» —sólo unas tres páginas de diálogo—, todos los componentes de la compañía, el empresario y servidores del escenario, continúan ante el público..., pero entre bastidores. Mostrándonos ahora sus relaciones particulares, como en *Un drama nuevo*, de Tamayo y Baus —salvadas todas las distancias—, ligadas a ciertos aspectos de la fábula cervantina, ante la que acaba de caer el telón real.

Don Quijote, Sancho, Dulcinea, el Cura, el Barbero y el Bachiller reaparecen con otros nombres, personalidad y menesteres. Eloy, el Criado en el reparto de la pieza recién representada, será en la realidad don Quijote. Marta, una auxiliar del vestuario, Dulcinea, etc. Sólo Sancho es el mismo en sus dos presencias... La obsesión justicieramente caballeresca de don Quijote, los episodios de La Cueva de Montesinos, de Clavileño, así como las alusiones a la ínsula Barataria y otros aspectos quijotescos, incluida la transcripción levemente alterada de algunos textos cervantinos, fundamentan el libro de Buero, aunque claro, está situado en el siglo XX, en un país imaginario y sin referencias directas a los libros de caballerías. El propio autor explica así su reencarnación del mito: «... todo ello ocurre en un alucinado país de nuestro tiempo, y se reviste, por consiguiente, de las obsesiones de nuestro tiempo. Bajo la presión —o el vacío— de una sociedad grotesca y decadente, don Quijote creó su fe en la caballería. Bajo la insania del mundo actual, ciertos seres de ánimo quijotesco crean su fe en los "platillos volantes" y en los Caballeros de Marte, de Venus o de algún lejano planeta perteneciente a otra estrella: divinos caballeros que nos instan, desde arriba o confundidos entre nosotros, a deificarnos con ellos. Pues bien: los "platillos volantes" son un formidable mito de nuestra época y mi título también lo alude, al tiempo, y no menos que a don Quijote. Y si la palabra va en singular, es porque estos mitos pueden conjugarse y se conjugan de hecho; porque pueden formar y forman realmente, en ocasiones, uno sólo.»

Buero precisa más abajo su posición racional ante ambos mitos:

«... Mi libreto de ópera no se limita, por tanto, a presentar la tragedia cerrada del quijotismo o de la chifladura marciana en nuestra horrible época, sino que intenta dar un paso más y esbozar la tragedia *abierta* de ambas locuras. Por ello dejo en el aire —como preguntas— la posibilidad de que el quijotismo sea en el fondo eficaz, y el mito de los "platillos", tal vez cierto. Preguntar en nuestro tiempo si ambas cosas son verdaderas no puede ya considerarse, a mi juicio, como una flaqueza de la mente, sino como un indicio de la renovada vigencia de ciertos problemas que habíamos declarado superados o inexistentes con sobrada precipitación...»

El núcleo temático de esta nueva versión del mito quijotesco, al menos inicialmente, reside en la competencia profesional de dos actores, como en el citado «drama» de Tamayo y Baus. Rodolfo Kozas, el barítono, primera figura de la compañía que desempeña el papel de don Quijote en la ópera que tienen en cartel. Y Eloy —el Quijote platillista de la acción entre bastidores—, otro barítono de superior calidad, como demuestra dando el «la» natural que jamás consiguió Rodolfo, aunque siempre postergado. Las diferencias entre ambos se agravaron desde que, cierta noche, Eloy sustituyó a Rodolfo con gran éxito en su papel de don Quijote.

Rodolfo Kozas, en su vida privada es un vanidoso, conformista, mujeriego e incondicional del sistema político imperante. Gracias a estas características y a su atractivo físico se mantiene, falsamente, como cabecera de la compañía de ópera. (A esta confrontación del papel que representa un actor, con lo que es en la vida real, se alude también en MITO en el caso de Apolinar, el Cura, cuya conducta privada es tan distinta de su papel apostólico.)

El verdadero Quijote de cuantos componen la compañía de ópera es Eloy. Quijote que, trasladado a nuestros días, tiene fe en la presencia o proximidad —según los momentos— de los «visitantes» extraterrestres que «vienen a salvarnos de nuestra insania».

Eloy considera que el yelmo de Mambrino o bacía, por su forma parecida a la de un «platillo» y por ciertas músicas misteriosas que según él emite, es el objeto detector o mensaje enviado por los marcianos a su elegido. Y lleno de fe, dice: «Yo canto a una galaxia muy lejana — llena de paz, honor e inteligencia...»

Los enfrentamientos de Rodolfo y Eloy llegan a ser muy violentos, pero Rodolfo Kozas —el Walton de este «drama nuevo»— no elegirá la venganza de denunciarle la infidelidad de su amada, ya que ésta, Marta, según el mismo Eloy, es una «visitante», una traslación de la espiritualizada Dulcinea. Lo que hará Rodolfo es aprovecharse de la credulidad de Eloy para darle «la evidencia de que es un imbécil y un iluso», simulando –mediante la recreación del burlesco episodio de Clavileño– la invasión de los «visitantes», pero no de los liberadores marcianos, sino de los dictadores de Júpiter, que increparán a Eloy: «y no hay futuro en el tiempo – para alimañas tan flojas – como tú».

La invención ducal del Clavileño, que en la obra de Cervantes no excede la broma cortesana y bufonesca, sin ánimo de venganzas personales, en MITO está concebida por Rodolfo con el fin cruel e interesado de destruir moralmente a Eloy. En vez de echarlo de la compañía, de dejarlo en la calle, opta por un castigo más humillante. Como dice Eloy, cuando cae en la cuenta del engaño: «... ha preferido matar mi alma – darme la evidencia de que soy un imbécil y un iluso».

Pero aparte de estos paralelismos míticos, aunque singularizados en el título, de acuerdo con la constante preocupación de Buero Vallejo para que su obra sea un testimonio crítico de la sociedad que le tocó vivir, más allá de los personajes e incidencias comunes y fácilmente recognoscibles, hay en el contexto muchas sugerencias de tipos y aconteceres políticos y sociales de la actualidad. Por ejemplo: el hecho de que los tramoyistas hagan el papel de marcianos (mientras que a los visitantes despóticos de Júpiter –el mayor de los planetas– los representa Rodolfo y sus serviles secuaces), alude a la esperanza de que los verdaderos salvadores de la sociedad sean sus hijos más humildes... Ellos, los tramoyistas-marcianos, recogerán el cadáver de Eloy cuando al final de la obra muere, como nuevo Quijote, al querer salvar a su antiguo camarada Ismael, perseguido por la policía. Escena que culmina este rico espectáculo y provoca la participación directísima y dramática del público.

El Electricista, a su vez, representa al trabajador que, ya acomodado, se distancia de la actitud reivindicativa de Eloy, y aproxima a la evasionista y burguesa de Rodolfo... Dirá el Electricista a Eloy:

> «El mundo no es tan malo como cree
> y nunca hubo catástrofes completas.
> Sabremos remontar las venideras
> igual que remontamos otras muchas...»

Y entre estos símbolos de la política vigente, recordemos las condecoraciones que, en una noche de aparente júbilo nacional, impone el señor Presidente del país, al empresario del teatro Palma, y a Rodolfo Kozas, primera figura del cartel. Noche en la que por causa de una huelga «autorizada», pero considerada peligrosa, se ordena a todos los buenos ciudadanos que permanezcan en sus casas o lugares de trabajo hasta el día siguiente, como entrenamiento «pedagógico» para un posible ataque atómico... A la vez que para sofocar la huelga con los menos testigos posibles, culpar a sus instigadores –el jefe sindical es Ismael, el amigo que Eloy oculta en su camerino– del incendio del Palacio Viejo, provocado por agentes del Gobierno. Este episodio de MITO tiene su paralelismo indudable con el incendio del Reichstag de Berlín, en 1933, atribuido por los nazis a Georgi Dimitrov, comunista búlgaro.

Asimismo, la actitud colaboracionista de Rodolfo, del empresario y sus incondicionales, es sin duda el reflejo más sostenido del conformismo de sectores privilegiados de la política vigente: «No va tan mal el mundo en nuestro tiempo – mejor es que otros tiempos de la historia.» Sus orgías durante la noche «pedagógica» –intercaladas con las bromas a Eloy–, el comportamiento fascista de los visitantes de Júpiter, y no hablemos de las ilustraciones proyectadas en algunos momentos del complejo espectáculo (bombardeos atómicos, campos de concentración, hogueras de libros, fusilamientos, ejecuciones en el garrote vil, guillotinas, horcas y sillas eléctricas) son otras pruebas de la intención acusatoria que enriquecen este MITO hodiernizado. Así resume Eloy la sociedad contemporánea... y, naturalmente, la de todas las edades:

> «¡Curioso animal-dios, listo y seguro!
> Prepara guerra y cree que tendrá paz.
> A la mentira llama cortesía.
> Besuquea, fornica y cree que ama.
> Si está aterrado, bebe y se divierte.
> Procrea sin freno por matar su angustia
> y aumenta así la angustia de la Tierra.
> Quema o prohíbe libros, y se cree
> que a la verdad y al bien está sirviendo.
> Y para suprimir al disidente
> lo llama previamente can rabioso.»

Y más acá de estas críticas que abarcan a toda la sociedad, hay en el libreto de Buero Vallejo alusiones caricaturescas de menos entidad. Valga la breve parodia de la ópera tradicional, cuando Rodolfo simula amar a Teresina en un dúo clásico y ante un decorado convencional. La alusión a los «platillistas» –representados por Simón (Sancho Panza)–, que no lo son por esperanza reivindicativa, sino por obtener puestos e influencia (ser burgomaestre ahora, como en el *Quijote* gobernador). Y la referencia a los «jóvenes pedantes» de ciertos teatros experimentales hecha por los cantantes tradicionales de esta fábula, que nos permiten sospechar que Buero está más cerca de los «jovenzuelos» despreciados por los despreciables, y que, en cierto modo, él es uno de los posibles directores de esa escuela juvenil y renovadora que funciona en el teatro.

He aquí dos grandes obras de Antonio Buero Vallejo, tan unidas en su entrañable y humanísima intención, pero de tan diversas poéticas y estructura dramática. *La doble historia del doctor Valmy*, el ataque más directo y patético desde nuestros escenarios a la vergüenza social de la tortura de la policía política. *Mito*, nada más y nada menos que el intento magistral para renovar la ópera y de «un replanteamiento de cuestiones míticas que, en nuestro siniestro y destrozado planeta de hoy, han dejado de ser niñerías sin sentido para trocarse en graves intuiciones que deberemos reinsertar en nuestros esquemas racionales».

F. GARCÍA PAVÓN.

LA DOBLE HISTORIA DEL DOCTOR VALMY

RELATO ESCÉNICO EN DOS PARTES

Esta obra se estrenó el 29 de enero de 1976
en el Teatro Benavente, de Madrid, con el siguiente

REPARTO
(Por orden de intervención)

SEÑOR DE ESMOQUIN.	José Albiach
SEÑORA EN TRAJE DE NOCHE	Carmen Guarddón
SECRETARIA	María Abelenda
DOCTOR VALMY	Andrés Mejuto
MARY BARNES	Marisa de Leza
ABUELA	Carmen Carbonell
DANIEL BARNES	Julio Núñez
MARSAN	Guillermo Carmona
PAULUS	Carlos Oller
POZNER	José Álvarez
LUIGI	Primitivo Rojas
ANÍBAL MARTY	Santiago Herranz
LUCILA MARTY	Ana Marzoa
ENFERMERO *(no habla)*	X. X.

LA ACCIÓN EN SURELIA: un país lejano. En nuestra época.
Derecha e izquierda, las del espectador

Espacio escénico: VICENTE VELA
Dirección: ALBERTO GONZÁLEZ VERGEL

Fueron utilizados exclusivamente fragmentos musicales de J. S. Bach, interpretados al órgano por ALFONSO CIFUENTES.

NOTA.—Los fragmentos encerrados entre corchetes fueron suprimidos en las representaciones para reducirlas a su duración habitual

EL DECORADO

Una estructura muy simple, sin techo y en dos planos, sobre un fondo neutro. El plano anterior es una plataforma rectangular, cercana a la embocadura, que abarca desde el lateral izquierdo hasta los dos tercios largos de la escena y corresponde a la casa de los Barnes. Sólo hay pared completa en el lateral izquierdo, con una puerta encortinada y sillas a sus dos lados. La pared del foro posee la misma altura sólo en un corto trecho; de izquierda a derecha vemos un radiador, con la reproducción de alguna pintura moderna colgada encima, y otra puerta encortinada. A continuación, lámpara de pie y un sofá adosado a la pared. Hacia la mitad del sofá ya no vemos pared; ésta se quiebra en línea oblicua cerca de la puerta hasta llegar al centro del mueble y corre tras él hacia la derecha dibujando una faja no mucho más alta de un metro que termina en el ángulo posterior derecho de la plataforma. A continuación del sofá y hasta dicho ángulo, una estantería baja con libros cubre exactamente la faja de pared y presenta en su centro la puerta de un armarito para licores. Ante el sofá, mesita baja de cristal, con un florero vacío. Cerca del ángulo anterior derecho de la plataforma, un sillón y mesita con teléfono a su izquierda. En el centro de la habitación una cuna niquelada con ruedecillas. Una de las sillas del lateral izquierdo está ahora a su izquierda.

El plano posterior corresponde a una oficina de la S. P. Se encuentra a la altura de la faja de pared que tapa la librería de los Barnes y a ella se adosa. Dibuja una grande y ancha «ele» cuyo primer segmento empieza donde termina la quebradura del foro en la casa de los Barnes y llega hasta el lateral derecho del escenario; el segundo segmento avanza desde allí hacia la embocadura y termina a la altura aproximada de la mitad del borde derecho de la primera plataforma. Una faja de muro, de la misma altura por consiguiente que la librería, lo limita frontalmente. Súbese a esta oficina por dos lugares: el primero corresponde a su lado izquierdo, donde no hay pared y en cuyo borde termina una escalera invisible, situada tras el foro de la habitación anterior. El segundo acceso es una escalerilla frontal situada entre el borde derecho de la primera plataforma y el saliente de la segunda. Arranca por lo tanto de la misma línea inferior del muro frontal a ésta y muere a la altura de la plataforma posterior junto a la librería. El triángulo formado por su lado izquierdo libre representa, en ángulo diedro con la librería, un trozo de pared de la casa de los Barnes; adosada a la derecha de la escalerilla se dibuja la escueta pared triangular que a su vez forma el corte del muro donde la escalerilla se inserta. La oficina es muy esquemática: el foro tiene una puerta cercana al lateral derecho y, al igual que el de la habitación de los Barnes, pero a la inversa, arranca oblicuamente desde el ángulo posterior izquierdo de la plataforma, describe una corta faja horizontal de pared y vuelve a subir para alcanzar completa altura desde la mitad de la habitación hasta su ángulo posterior derecho. La pared del lateral derecho es asimismo incompleta: cerca del ángulo antedicho se quiebra en una línea oblicua que desciende hasta el ángulo anterior derecho del suelo. Sesgada y en el centro de la «ele», una mesa de oficina con carpetas, papeles, teléfono de línea múltiple y su sillón tras ella. A su izquierda, una silla. Contra la faja de pared del foro, un desvencijado sofá. A la izquierda de éste, un perchero. En el ángulo de las dos paredes, mesita con máquina de escribir y su silla.

Trátase, pues, de dos habitaciones ensambladas y a distinta altura. Juntas en la escena, encuéntranse en la ficción muy distantes; y si el aspecto general de la primera es pulcro y grato, el de la segunda resulta frío e impersonal.

Por el primer término de ambos laterales del escenario, espacio libre para entradas y salidas.

En el primer término izquierdo del escenario y delante de la casa de los Barnes, el banco de piedra de un parque.

En el holgado espacio rectangular que las dos plataformas dejan libre en el primer término derecho del escenario, cómodo sillón de orejas con una silla a su izquierda: es el consultorio del doctor Valmy.

PARTE PRIMERA

(«Twist» trepidante en un piano. El telón no se alza. Por la izquierda aparece una SEÑORA EN TRAJE DE NOCHE *y generosamente enjoyada. Casi inmediatamente, aparece por la derecha un* SEÑOR DE ESMOQUIN. *La señora es rubia y aún joven. El señor es apuesto. Ambos sonríen. Con agradable y segura dicción hablan sobre la música, un tanto amortiguada.)*

SEÑOR.—Queridos amigos...

SEÑORA.—Conocemos la historia que les van a contar.

[SEÑOR.—Antes nos la han contado a nosotros.

SEÑORA.]—Es falsa.

SEÑOR.—[Falsa] o, por lo menos, muy exagerada.

[SEÑORA.—Y no han sido ustedes congregados aquí para creerse nada, sino para pasar un rato agradable...

SEÑOR.—Ya saben cuál es la manera: gozar de lo que se nos cuenta sin llegar a creerlo.] Queremos recordárselo, porque siempre puede haber algún ingenuo dispuesto a dar por ciertos los mayores desatinos.

SEÑORA.—O personas que conserven una reprobable afición al melodrama.

(El telón se alza sobre el escenario en penumbra. En el sillón de orejas de la derecha,

EL DOCTOR VALMY *descansa, ensimismado. En la silla contigua, su* SECRETARIA, *con un cuaderno y un lápiz, lo mira y parece aguardar. En la cuna de la casa de los Barnes duerme un niño de pocos meses.* LA ABUELA, *sentada a su lado, lo mira.)*

SEÑOR.—[Por si las hay entre ustedes,] les repetiremos algo muy sabido: todo el que cuenta una historia la recarga.

SEÑORA.—Y la aproxima: siempre parece como si hubiese sucedido a nuestro lado.

SEÑOR.—Eso también debemos dejarlo claro. Si sucedió algo parecido no fue entre nosotros. Esas cosas tal vez pasen, si pasan, en tierras aún semibárbaras...

SEÑORA.—En algún país lejano.

SEÑOR.—Permanezcan, pues, tranquilos, [ya que la historia, probablemente falsa, nos llega además de otras tierras y no nos atañe.]

SEÑORA.—Y sobre todo, conserven la sonrisa. En el mundo hubo y hay [todavía] muchas desgracias; pero, a costa de ese precio, hemos aprendido a sonreír.

SEÑOR.—Y la sonrisa es el más bello hallazgo de la humanidad. ¡No la pierdan!

SEÑORA.—No la pierdan nunca. *(El señor se fue acercando a la señora durante la escena.)*

SEÑOR.—Ahora, ya pueden escuchar. *(Se inclinan los dos levemente. El señor toma del brazo a la señora y salen ambos por la izquierda. Del «twist», el piano pasa ininterrumpidamente al Nocturno en Mi bemol mayor, de Chopin. Crece la luz sobre el doctor y la secretaria. El doctor Valmy viste un traje sencillo y correcto, tiene unos cuarenta años y parece fatigado. La secretaria, de aspecto agradable, no es mucho más joven.)*

SECRETARIA.—¿Quiere que lo dejemos, doctor?

DOCTOR.—[No. Es que] estaba recordando... ¿Quiere repetir?

SECRETARIA.—*(Descifra sus signos.)* «La primera historia ha terminado.»

DOCTOR.—Gracias. *(Dicta.)* [La primera historia ha terminado.] Vamos, pues, con la segunda. Pero antes... *(Calla, pensativo. Se levanta.)* Antes se me permitirá una reflexión. *(Da unos pasos. Se detiene.)* Cuando nos decidimos a publicar nuestras historias clínicas, [todos] los médicos preferiríamos contar, [al modo de un novelista mediocre], aquellos casos que terminaron felizmente. [Pero los que dejaron malparada nuestra eficiencia profesional, son, a veces, más ejemplares... *(Mira a la secretaria.)*

SECRETARIA.—Ejemplares.

DOCTOR.]—Igual que los enfermos, quisiéramos olvidar nuestros fallos. Pero [ellos, un día, acuden a nuestra consulta y nosotros, un día, publicamos un libro. No somos tan indiferentes al sufrimiento como se nos supone;] el recuerdo de los desdichados a quienes no hemos sabido ayudar [nos] persigue [durante la vida entera.] Incluso al médico que logra olvidar; [a ése lo persigue] de otra manera, pero también lo persigue.

SECRETARIA.—Lo persigue.

DOCTOR.—Estos libros son también nuestras confesiones. [Debo reconocer que...] en esta segunda historia... no creo haberme portado bien. [Ante el enfermo,] un médico debe guardarse sus antipatías y yo no supe disimular lo bastante. Si hice mal, el lector me juzgará. *(Calla.)*

SECRETARIA.—Juzgará.

DOCTOR.—En su mayor parte, los seres humanos son vulgares. [Esto nos permite apuntarnos modestos éxitos;] las situaciones que les llevan a enfermar suelen estar a la altura de ellos mismos. Pero, ¿qué sucede cuando un ser vulgar se enfrenta con una situación extraordinaria? Mi cliente era un hombre vulgar.

SECRETARIA.—[Un hombre] vulgar.

DOCTOR.—No [lo era] por falta de sensibilidad, sino por carecer de valor. Pero [no puedo evitar la sospecha de que,] en su situación, [muy] pocos hombres lo habrían tenido. Acaso yo tampoco.

SECRETARIA.—Yo tampoco.

DOCTOR.—*(Suspira.)*—[Hacía ya tiempo que me había establecido en la capital y] D. B. vivía no lejos de mi consulta.

SECRETARIA.—Perdón. ¿Cómo ha dicho?

DOCTOR.—De, punto, be, punto.

SECRETARIA.—Ya. Perdone.

DOCTOR.—Era un hombre simpático y expansivo: a primera vista, lo contrario de un enfermo. Su mujer, [ya no muy joven,] lo adoraba. *(Se ha ido acercando a la izquierda y se sienta en el banco, ahora iluminado.)* Yo la había tratado, cuando [aún] era soltera, de algunos trastornos nerviosos que cedieron fácilmente a los fármacos... y al matrimonio. De tarde en tarde ella y yo nos encontrábamos por [la calle o al cruzar] el parque cercano. *(Entra por la derecha* MARY BARNES, *que cruza, sonriente, y se detiene ante el doctor. Es una mujer delgada, madura, atractiva. Viste con elegante sencillez y lleva una bolsa y unas flores. La secretaria sigue escribiendo.)*

MARY.—¡Buenos días, doctor!

DOCTOR.—Buenos días, señora. *(Se levanta y le da la mano.)* ¿De la compra?

MARY.—[¡Y qué remedio!] Mi suegra, [la pobre,] ya no está para el trote de los mercados. ¡Mire qué flores más lindas! ¿Quiere una?

DOCTOR.—En sus manos lucen más.

MARY.—Le he visto de lejos y me he dicho: ¿Será posible que el doctor se haya sentado en ese banco?

DOCTOR.—Algunas veces me quedo por aquí unos minutos. El parque es bonito.

MARY.—No me ha entendido, doctor. [Me refería a este banco.

DOCTOR.—¿A este banco?

MARY.—*(Ríe.)* ¡Es una historia muy romántica!] Mi marido y yo nos conocimos en este banco.

DOCTOR.—¿De veras?

MARY.—[*(Suave.)* Sí... Aquí fue.] ¡Pero continúe sentado, por favor! *(Le tiende la mano.)*

DOCTOR.—*(Se la estrecha.)* De ninguna manera. *(Ríe.)* Ya no me atrevería a profanarlo... *(Con mirada profesional.)* Tiene usted un aspecto inmejorable.

MARY.—¡Todo va perfectamente!

DOCTOR.—Me alegro. [Aunque aún no tengo el gusto de conocerlo], saludos a su esposo.

MARY.—[Muchas] gracias. Algún día se lo presentaré. Él... siempre anda tan ocupado...

DOCTOR.—*(La mira con interés.)* Claro.

MARY.—[¿Quizá] podría usted venir una noche a cenar con nosotros?

[DOCTOR.—Muy amable, señora.

MARY.—] ¡Le telefonearé para convenirlo!

DOCTOR.—De acuerdo.

MARY.—Adiós, doctor.

DOCTOR.—Buenos días, señora. *(Mary Barnes sale por la izquierda bajo la mirada del doctor.)* Afectuosa, pero distante. Nunca telefoneó. [En el fondo seguía siendo una persona nerviosa.] Tenían un niño de pocos meses y la madre del marido era una anciana casi sorda [con la que nunca crucé la palabra.] *(Luz sobre la cuna y* LA ABUELA. *El piano pasa sin interrupción a la Canción de Cuna, de Brahms. El doctor Valmy suspira y se va acercando a la derecha.)* Los psiquiatras sabemos [bien] que toda historia humana, por adiosa que resulte, quisiera haber sido una historia de amor y de belleza. Esta segunda historia también quiso serlo y [pienso] por ello [que], en vez de callarla, quizá sea preferible mostrar de qué modo, si bien desfigurados, latieron bajo ella el amor y la belleza que todos buscamos.

[SECRETARIA.—Entonces...

DOCTOR.—¿Cómo?

SECRETARIA.—Perdón.

DOCTOR.—No, no. Diga...

SECRETARIA.—Entonces, quizá lo sea, pese a todo.

DOCTOR.—¿El qué?

SECRETARIA.—Una historia de amor y de belleza... *(El doctor la mira con insistencia y no contesta. Luego]* *inclina la cabeza y sale por la derecha. La secretaria se levanta y sale tras él. Sobre las notas de la Canción de Cuna, habla la abuela.)*

ABUELA.—Ya conoces a tu abuela, ¿eh? ¿O es que me pides cuentos? Ríe, ríe... [También tu papá me echaba risitas para que se los contase. Y los entendía como tú,] que sí que los entiendes, que lo sé yo muy bien... Pues verás: érase que se era un niño [pequeñito,] más bonito que el sol, que se llamaba... ¡Danielito! *(Ríe.)* ¿Ya sabes tu nombre, picarón? [¡Si no me refiero a ti, tonto,] si es el cuento que yo le contaba a tu papá! *(Suspira, en otro tono.)* Ay, Dios mío. Pues verás: Danielito tenía una mamá que lo adoraba. [Bueno: una abuelita.] Y decía su mamá: mi Danielito se hará [fuerte y] grande como un capitán. Y Danielito sonreía. Y como es tan guapísimo, todas las nenas se volverán locas por él. [Y como es tan buenísimo, todos querrán ser sus amigos.] *(Suspira.)* Ay, Dios mío. Y como es tan listísimo, cuando le crezca el bigote será la alegría de su mamá viejecita y los dos visitarán todos los países de este mundo hermoso, y los recibirán gritando: ¡Viva el gran Danielito! Y Danielito sonreía.... *(El piano calla. La abuela levanta la cabeza.)* [Creo que he oído la puerta...] *(Se levanta.* MARY *aparece en el foro con la bolsa, las flores y un periódico doblado.)*

MARY.—*(Le habla en voz muy alta.)* Hola, abuela. ¿Quiere el periódico?

ABUELA.—Bueno. *(Lo coge y busca en el delantal el estuche de sus gafas. Mary pone las flores en el florero de la mesita. Luego deja la bolsa sobre la silla contigua a la cuna.)*

[MARY.—¿Le ha dado guerra el niño?]

ABUELA.—[Qué va. Se despertó hace un momento.] *(Va a sentarse al sillón del teléfono y se pone las gafas.)*

MARY.—*(Acaricia al niño.)* ¿Qué dice mi cordero? ¿Contento de que vuelva su mamá? [¿Sí? Vamos] a ver qué tal anda ese culito, cochinín, que tú eres como la fuente de la plaza. *(Mete la mano bajo el embozo y palpa. La abuela la mira.)*

ABUELA.—Ya le cambié yo. *(Vuelve a leer.)*

MARY.—Lo hace porque le encanta verte las cositas, no creas. [Pues yo tampoco me quedo sin vértelas antes de comer, descuida. *(Mira su reloj.)* En cuanto te dé el biberón vas a abrir el grifo...] *(Se incorpora.)* ¿Ha llamado Daniel, abuela?

ABUELA.—¿Eh?

MARY.—¡Que si llamó Daniel!

ABUELA.—No.

MARY.—*(Al niño.)* [No me mires así, que] ya sé lo que quieres. *(Le hace un mimo y recoge la bolsa para marcharse.)*

ABUELA.—Viene cada vez más soso el periódico.

MARY.—*(Se detiene.)* ¡Pero, abuela!

[ABUELA.—¿Eh?

MARY.—] *(Va hacia ella.)* ¡Hoy trae la puesta en órbita de nuestra estación espacial! ¿No ha leído la primera plana?

ABUELA.—Yo voy siempre a otras páginas.

MARY.—*(Menea la cabeza, sonriente.)* Voy a preparar el biberón. *(Se encamina a la izquierda.)*

ABUELA.—*(Contrariada.)* Ya han vuelto a cambiar programas en la televisión. Esta noche no dan «Barrio del Este».

MARY.—*(Se detiene y sonríe.)* [Lo siento por usted.]

ABUELA.—*(Deja el periódico sobre la mesita y se levanta, quitándose las gafas.)* ¿No le toca el biberón al niño? *(Va a la silla contigua a la cuna y la lleva a su rincón.)*

MARY.—¡Le acabo de decir que iba a prepararlo! ¿Por qué no se pone al aparato?

ABUELA.—Oigo bien.

MARY.—*(Sonríe.)* [Hoy tiene usted mal día.] *(Va a salir.)*

ABUELA.—¿Cuándo termina tu licencia?

[MARY.—¿No sabe que es ilimitada?

ABUELA.—] *(Da unos pasos hacia ella.)* ¿No piensas volver a tu escuela?

[MARY.—*(En voz queda.)* Quiere que me vaya, ¿verdad?

ABUELA.—¿Qué?...] Te lo digo porque necesitas distraerte. Casi no sales...

MARY.—*(En voz queda y sonriente.)* Le gustaría quedarse sola con su hijo y su nieto, ¿eh? Pero no le guardo rencor. *(La abuela, que intenta oír, da un paso más hacia ella.)*

ABUELA.—*(Irritada.)* ¡Podrías hablar más alto!

MARY.—*(Va a su lado.)* ¡Le decía que estoy muy a gusto así! *(La besa.)*

ABUELA.—*(Seca.)* Vamos [a la cocina,] que hay que aviar el puchero.

MARY.—*(Ríe.)* ¡Y el biberón! *(La toma del brazo y van hacia la izquierda.)*

ABUELA.—*(La detiene.)* Oye... Y Daniel, ¿está a gusto?

MARY.—*(Seria.)* ¿A qué viene eso?

ABUELA.—No hacéis más que cuchichear.

[MARY.—*(Inmutada.)* Está cansado. Ahora tienen mucho trabajo.

ABUELA.—*(Lo piensa.)*] Está raro.

MARY.—*(Sin mirarla.)* Figuraciones suyas. *(La conduce. Se le ilumina la cara y se detiene.)*

ABUELA.—¿Han llamado?

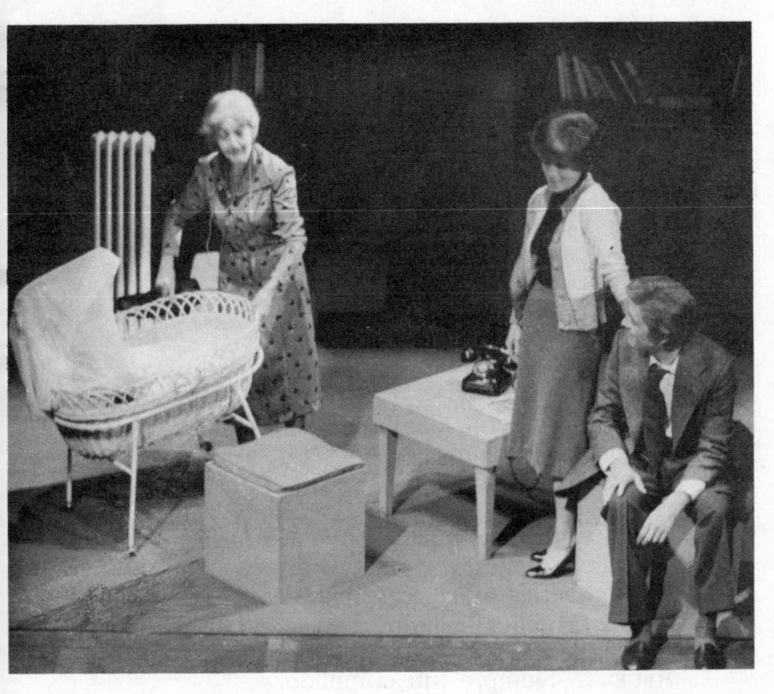

Carmen Carbonell, Marisa de Leza y Julio Núñez en una escena

Foto S. Yubero

MARY.—*(Le da la bolsa.)* ¡He oído el llavín! *(Corre al foro, al tiempo que aparece* DANIEL. *Es un hombre de buen aspecto y aire deportivo. Ella se echa en sus brazos.)*

DANIEL.—Hola, pitusa. *(Se besan.)*

MARY.—¿Te quedas a comer?

DANIEL.—Si no me llaman...

MARY.—¡Qué alegría! *(Vuelve a besarlo.* LA ABUELA *los mira, molesta.)*

DANIEL.—Hola, mamá. *(Va hacia ella. Mary le sigue, colgada de su brazo.)*

ABUELA.—Hola, hijo. *(Se besan.)*

[MARY.—¿Quieres flan de postre? Hay huevos suficientes.]

DANIEL.—[¡Buena idea!] ¿Y el cominito? *(Va a la cuna, seguido de su mujer.)*

MARY.—Hecho un sol. ¡Mira quién ha venido, cordero! *(Se sitúan a ambos lados de la cuna.)*

DANIEL.—[¡Hola,] buena pieza! *(Se inclina y besa al niño.)* ¡Échame una risita, anda!... ¡Así! *(Ríen los dos. La abuela se acerca, sonriente; se siente desplazada.)* [Muchos] saludos del señor Paulus, mamá. *(Va hacia la librería. Mary va tras él.)*

ABUELA.—Siempre tan cumplido.

DANIEL.—Pues sí. Nunca deja de dármelos. *(Saca una pistola de una funda sobaquera, comprueba el seguro y la deja sobre la librería.)* [¿Cuántos años hace que no lo ves?]

ABUELA.—Cuando el niño crezca, [supongo que] buscarás otro sitio para ese chisme.

DANIEL.—Claro, mamá.

[MARY.—*(Le rodea el talle con el brazo.)* ¿No crees tú que el señor Paulus ha debido de ser un antiguo amor de tu madre?

DANIEL.—*(Le pasa el brazo por los hombros.)* Cualquiera sabe. Pero es como ella dice: muy cumplido.] *(Va hacia la cuna.)* [La estampa misma de la corrección, del deber... ¡Uf!] *(Le hace una castañeta a su hijo.)* ¿Qué hay, barbián? *(Ríe. Mary vuelve a tomarlo por el brazo.)*

ABUELA.—¿Te quedas a comer?

DANIEL.—*(Asiente.)* Sí. [Hoy ha habido suerte.] *(Va al sillón y se recuesta en un brazo mientras desdobla el periódico.)* Habrás leído la gran noticia, [¿eh?]

MARY.—*(Se acerca.)* ¡Es formidable!

DANIEL.—Estas cosas levantan el ánimo. Nuestra labor también contribuye a estos triunfos.

MARY.—¿Te sientes de veras... más animado?

DANIEL.—*(La mira a los ojos.)* Yo diría que sí.

ABUELA.—*(Que no ha dejado de mirarlos.)* Voy a preparar el biberón. *(Se encamina a la izquierda con la bolsa.)*

MARY.—*(Rápida.)* Está celosilla... Dile algo.

DANIEL.—¿Hubo algún recado, mamá? *(Va hacia ella.)*

[ABUELA.—Vino un ciclista por tu artículo.

DANIEL.—*(Chasquea la lengua, contrariado.)* No tengo tiempo de nada.

ABUELA.—Le dije que ya avisarías tú.

DANIEL.—] *(La acaricia.)* [Hiciste bien.]

ABUELA.—Déjame. El niño no espera. *(Sale por la izquierda.)*

MARY.—Me reprocha que no vaya yo. Pero quería hablarte de ella... Dice que te encuentra raro. *(Él la mira. Luego va, lento, al sillón del teléfono.)* Es más lista de lo que parece.

DANIEL.—No lo creas. Siempre ha estado pendiente de mí, con motivo o sin él. *(Suspira y se sienta.)*

MARY.—*(Se acerca y se recuesta en el brazo del sillón.)* [¿De verdad...] te sientes mejor? *(Le acaricia el cuello.)*

DANIEL.—*(Cierra los ojos.)* No sé.

MARY.—Lo acabas de decir...

DANIEL.—Para poner buena cara [frente a ella...] Para creérmelo yo, quizá. *(Breve pausa. La abuela reaparece por la izquierda con unas zapatillas en la mano.)*

ABUELA.—*(Avanza.)* Si te vas a quedar, quítate los zapatos.

MARY.—*(En voz queda.)* Se ha puesto el aparato. *(En efecto, la abuela trae ahora un micrófono de sorda. Daniel se quita los zapatos.)*

ABUELA.—*(Ante él.)* Tienes mala cara. [¿Te duele la cabeza?]

DANIEL.—[No.] *(Intenta sonreír.)* Me encuentro bien. *(Se pone las zapatillas. La abuela recoge los zapatos, va hacia la cuna y empieza a rodarla.)*

ABUELA.—Vamos por tu biberón, Danielito, que aquí no hacemos falta. *(Canturrea.)*

Una tableta Finus tomará
y a reírse del dolor aprenderá...

DANIEL.—*(Cambia una mirada con su mujer.)* ¿Qué cantas, mamá?

ABUELA.—[¿Eh? Nada.] *(Y sigue canturreando, mientras empuja la cuna.)*

El mundo es feliz porque Finus llegó
como un hada y su dicha le dio...

MARY.—Es la propaganda del analgésico en la televisión. *(La abuela sale por la izquierda con la cuna. Se aleja su voz. Daniel esconde la cabeza entre las manos. Mary se acerca al sillón.)* Ya verás como es pasajero. *(Se inclina y le besa apasionadamente.)*

DANIEL.—Me siento avergonzado.

[MARY.—Vamos, cállate. Mucho mimo es lo que tú tienes.

DANIEL.—No bromees, por favor.]

MARY.—¡Si no tiene importancia! [Lo que sucede] es que estás fatigado.

DANIEL.—Otras veces estuve más fatigado y no sucedió. *(Súbitamente irritado, se levanta y pasea.)* [¡Es incomprensible!]

MARY.—*(Con una punta de impaciencia.)* Hemos quedado en no alarmarnos. Yo creo que estas cosas son frecuentes. *(Va a su encuentro.)* [Daniel...] *(Le abraza. Él la besa en el pelo.)*

DANIEL.—Mary, si no pasase...

MARY.—¡Pasará!

[DANIEL.—Tú no lo soportarías.

MARY.—Soy tu mujer.]

DANIEL.—*(Se separa, exaltado.)* [¡Y] no puedo sufrirlo!

MARY.—*(Triste.)* No lo tomes así... *(Larga pausa. De pronto oyen ruido.* LA ABUELA *reaparece, meneando con una cucharilla un vaso de agua. Mary va a ojear el periódico.)*

[ABUELA.—Tómate esto.

DANIEL.—¿Eh?]

ABUELA.—Seguro que te duele la cabeza.

DANIEL.—Pero si no me...

MARY.—*(En voz queda.)* Tómalo.

DANIEL.—Gracias, mamá.

ABUELA.—*(A Mary, mientras él bebe.)* Voy a poner la comida.

MARY.—Ahora [mismo] voy, abuela. *(La abuela recoge el vaso, los mira y sale de nuevo.)*

DANIEL.—Ve con ella, sí. [No conduce a nada hablar de estas cosas.]

MARY.—*(Va a salir, titubea y se vuelve.)* ¿Porqué no vas a ver al doctor Valmy?

DANIEL.—[No seas ingenua, maestrita.] Los psiquiatras no te aclaran nada [y te embrollan más.]

MARY.—A mí..., me alivió muchísimo.

(Crece la luz en la oficina. Por la puerta del foro entra en ella MARSAN, *un hombre de unos 35 años, que se dirige al teléfono y empieza a marcar.)*

DANIEL.—*(Con triste sonrisa.)* A ti te alivió el matrimonio. [pitusa.]

MARY.—¿Quieres que yo le pida hora? Podemos ir juntos...

DANIEL.—¡Menos aún! Eso yo no lo soportaría. *(Va a sentarse al sillón.)*

MARY.—*(Suspira.)* Voy con tu madre. *(Se encamina a la izquierda. Marsan dejó de marcar. Suena el teléfono. Daniel lo mira sin moverse.)* Yo lo tomo. *(Va al teléfono y toma el auricular.)* Diga.

MARSAN.—*(Sonríe.)* ¿Señora Barnes?

[MARY.—Sí. ¿Quién es?

MARSAN.—Marsan. ¿Está su marido?]

MARY.—*(Tapa el micrófono.)* Marsan. ¿Le digo que no estás?

DANIEL.—Eso no puede hacerse, Mary.

MARSAN.—¿Está su marido, señora Barnes?

MARY.—Ahora se pone.

MARSAN.—Nos tendrá que disculpar que se lo quitemos de nuevo... [¿Me oye, señora?

MARY.—Le oigo.] *(Daniel tiende la mano. Ella le indica que espere.)*

[MARSAN.—A veces me alegro de seguir soltero...] Debe de ser muy desagradable el tener que abandonar [con tanta frecuencia] a una esposa tan encantadora.

MARY.—Por favor, no bromee.

MARSAN.—*(Grave.)* [Usted sabe que] no bromeo.

MARY.—Mi marido está aquí ya. *(Le pasa a Daniel el auricular.)*

DANIEL.—¿Qué te ha dicho?

MARY.—Tonterías.

DANIEL.—*(Al teléfono.)* Dime, Marsan.

MARSAN.—Paso a recogerte con el coche.

[DANIEL.—¿Cómo?

MARSAN.—] Órdenes de papaíto.

DANIEL.—[¡Oye, oye!] Papaíto me dejaba libre la tarde.

MARSAN.—[Le acaban de telefonear metiéndole prisa.] Tenemos que traer otra vez al pájaro.

DANIEL.—*(Frunce los labios.)* ¿Y no puede acompañarte Dalton, [o Pozner?] Yo iba a ir al médico... *(A Mary se le alegran los ojos al oírlo.)*

MARSAN.—*(Ríe.)* [Déjate de monsergas. Aquí también hay médico y] a ti no te pasa nada. ¿O es que empieza a pesarte el trabajo?

DANIEL.—No seas idiota.

MARSAN.—*(Ríe.)* [De todos modos tienes muchas horas libres... La función no empieza hasta la noche.] Voy ahora mismo. *(Cuelga. Daniel cuelga a su vez. La luz se extingue en la oficina. Marsan baja por los invisibles peldaños de la izquierda.)*

MARY.—¿Te acompaño al médico?

DANIEL.—*(Deniega.)* Ha sido una excusa. Tráeme los zapatos.

MARY.—Me lo temía. *(Sale por la izquierda. Daniel pasea, perplejo. De pronto va a la mesita, toma la guía telefónica y busca un número. El teléfono vuelve a sonar. Contrariado, lo mira y lo toma.)*

DANIEL.—Diga. *(Mary vuelve con los zapatos de Daniel.)* Sí, [dígame...] Un momento. *(Tiende el aparato a su mujer.)* De una amiga.

MARY.—¿Para mí? *(Toma el teléfono. Daniel le coge los zapatos y empieza a cambiarse.)* ¿Quién es?... *(Alegre.)* ¡Ah, sí! [Pero por la voz no te recuerdo...] ¿La de las trencitas? [¡Qué alegría!] Pero tú ya estarás hecha una mujer... ¡Claro! Yo también me he casado... ¿Por qué no vienes esta [misma] tarde? *(Ríe.)* Espera. *(Tapa el micrófono.)* Que si vas a estar [tú] no se atreve. Siempre fue muy tímida. Es una antigua alumna de mi escuela.

DANIEL.—¡Pues claro! [Dile] que venga y así te distraes un poco.

MARY.—Oye... Ven a las seis y meriendas conmigo. No faltes, ¿eh?... Muchos besos, hija... [Hasta luego.] *(Cuelga.)* Es muy simpática. Ya la conocerás.

DANIEL.—*(Le tiende las zapatillas.)* Sí, pero otro día... Oye, yo tengo, que llamar por teléfono y después me voy. Ve tú con mamá y no le digas todavía que he tenido que salir. Estaba ya tan ilusionada...

MARY.—Bueno. *(Le besa.)* [Y piensa en lo que te he

dicho...] Y no te desanimes, [amor mío.] *(Va a la izquierda y se vuelve.)* ¿Volverás esta noche?

DANIEL.—No creo.

MARY.—¡Dichosa Jefatura! *(Le envía un beso. Daniel se lo devuelve, la ve salir y se precipita a mirar la guía. Busca nervioso el número y lo marca. Una pausa, durante la que mira a la izquierda.)*

DANIEL.—¿Podría concederme hora el doctor para hoy?... Verá, señorita. Yo estoy [siempre] atrozmente ocupado y sólo tengo libre esta tarde... Sí, espero. *(Una pausa.)* [Dígame... De acuerdo.] A las cuatro. Muchísimas gracias... ¿Eh?... Barnes... [De nada.] *(Cuelga. Emite un profundo suspiro y queda un momento abstraído. Al fin se encamina al foro.* LA ABUELA *sale por la izquierda, seguida de* MARY. *Él se vuelve.)*

MARY.—Ya sabes cómo es. Se lo ha figurado.

ABUELA.—¿Te vas?

DANIEL.—*(Va a su lado y la besa.)* No tengo más remedio. Mañana comeremos juntos. *(Vuelve al foro.)*

ABUELA.—¿No te llevas ese chisme? *(Señala a la pistola.)*

DANIEL.—¡Ah, sí! *(Recoge la pistola y se la guarda.)* Adiós. *(Sale. Mary sale por la izquierda.)*

ABUELA.—*(Suspira.)* Ay, Dios mío. *(Sale por la izquierda. La luz se extingue en la casa de los Barnes y crece a la derecha, iluminando al* DOCTOR VALMY. *El Nocturno de Chopin vuelve a oírse muy apagado. La* SECRETARIA, *con su cuaderno y su lápiz, está junto al lateral.)*

DOCTOR.—[Mis compañeros dicen que soy un mal psiquiatra. Yo me río y les pago en la misma moneda.] No soy un especialista; [en el barrio hay que hacer de todo.] Pero estudié psicoterapia y por las mañanas trabajo en un sanatorio psiquiátrico. Luego, por las tardes, recibo también en casa enfermos mentales. Soy un practicón que comete [frecuentes] errores y que también ha logrado aciertos repentinos por fiarse de su intuición. Mis compañeros sonreirán cuando lean esto, [ya lo sé.] Ellos se pasan la vida hablando de complejos o transferencias y el presente libro habla poco de tales cosas, porque es un libro destinado al hombre corriente. Si lo lee un sociólogo, echará también de menos las causas generales que, en su opinión, todo lo explican... Yo no soy más que un médico de barrio. El psiquiatra y el sociólogo poseen ciencias más complejas que la mía, pero también más frías. Ante sus [impecables] análisis, el dolor mismo parece esfumarse... Yo no puedo olvidarlo. A mí me importa sobre todo la persona concreta que llega a mi consulta con los ojos húmedos y el corazón agitado.

SECRETARIA.—El corazón agitado.

DOCTOR.—Yo prefiero mostrar el dolor del hombre a nuestro nivel de hombres, [lo cual aclara muy poco pero aviva nuestra gastada sensibilidad.] Porque no sólo debemos intentar la mejora del mundo con nuestra ciencia, sino con nuestra vergüenza.

SECRETARIA.—Nuestra vergüenza. *(El piano calla.)*

DOCTOR.—Este caso fue, [pese a todo,] uno de mis aciertos fulminantes. Sin vanidad lo digo, pues [creo que] era fácil de entender. *(Se vuelve hacia la secretaria, que avanza con una cartulina en la mano.)*

SECRETARIA.—El paciente citado a las cuatro, doctor.

DOCTOR.—*(La toma y la lee.)* Daniel Barnes. Funcionario público... *(Le devuelve la ficha.)* Hágalo pasar. *(La secretaria sale. Entra* DANIEL.)

DANIEL.—Buenas tardes, doctor.

DOCTOR.—*(Se adelanta y le estrecha la mano.)* Mucho gusto [en saludarle,] señor Barnes. Si no me equivoco, su esposa y yo nos conocemos. ¿Cómo sigue su señora?

DANIEL.—[Ella está] muy bien, gracias. Soy yo el enfermo.

DOCTOR.—Siéntese, por favor. *(Le ofrece tabaco.)* ¿Un cigarrillo?

DANIEL.—*(Se sienta en el sillón y sonríe.)* Gracias. *(Mientras enciende en el mechero del doctor, ríe débilmente.)* Perdone que me ría. Es que ha hecho usted [conmigo] algo que yo hago con otros... a menudo.

DOCTOR.—¿Ofrecer un cigarrillo?

DANIEL.—*(Se arrepiente.)* Sí... Ya le explicaré.

DOCTOR.—*(Se sienta en la silla y enciende a su vez.)* Pues usted me dirá.

DANIEL.—[Verá...] No es fácil...

DOCTOR.—Estoy aquí para ayudarle. Tranquilícese. [Y empiece por cualquier lado. Es lo mismo.]

DANIEL.—*(Con un suspiro.)* Lo mejor será decirlo de una vez. Desde hace unos veinte días, doctor... no puedo cumplir mis deberes matrimoniales.

DOCTOR.—¿Le asusta la palabra?

DANIEL.—¿Cómo?

DOCTOR.—¿Quiere decir que padece impotencia?

DANIEL.—*(Baja la cabeza.)* Sí. Y estoy bastante asustado.

DOCTOR.—A ver si le entiendo. ¿Lo intenta y no lo consigue o se encuentra desganado?

DANIEL.—Lo intento sin conseguirlo. [Pero no sé si con ganas. Mi pobre mujer procura animarme, estimularme... Es inútil.] Unas veces no sucede nada y otras..., sin encontrarme en las condiciones adecuadas..., me desahogo inesperadamente.

DOCTOR.—Por el momento no debe preocuparse. Esas cosas son [más] corrientes [de lo que supone.]

DANIEL.—Me alegro de oírselo. *(Apaga el pitillo en un cenicerito adosado al brazo del sillón.)*

DOCTOR.—¿Le ha sucedido en alguna ocasión anterior?

DANIEL.—A veces no he tenido ganas... Eso es normal, supongo.

DOCTOR.—Y esos desahogos inesperados, ¿los conocía de antes?

DANIEL.—Nunca me habían sucedido.

[DOCTOR.—¿Es usted muy temperamental, señor Barnes?

DANIEL.—Pues... sí. Lo era.]

DOCTOR.—¿Le gusta su mujer?

DANIEL.—Más que ninguna otra.

DOCTOR.—Sin embargo, puede encontrarse momentáneamente cansado de ella.

DANIEL.—No, doctor. Al principio pensé eso [mismo.] Y me dije: hay que variar. [Desde que estoy casado no lo he hecho, pero esta vez lo haré.] Por ella... Por volver a ella. Y me fui, [tan confiado,] con otra mujer que también me gustaba mucho... ¡Fue humillante! [Y después fue cuando me entró miedo.]

DOCTOR.—¿Cuántas horas trabaja usted al día?

DANIEL.—Muchas. Pero [siempre me encontré bien...] No, no estoy agotado. Ni intoxicado; no soy bebedor y apenas fumo... Es más: estos días me he inyectado hormonas. Se lo pedí al médico del lugar donde trabajo, alegando que tenía una aventura y que no quería desatender a mi mujer... Todo inútil.

DOCTOR.—*(Se encoge de hombros.)* Parece usted un varón sexualmente sano. De todos modos... Contésteme con sinceridad, se lo ruego. [Es lo mejor.]

DANIEL.—Diga.

DOCTOR.—¿Ha sentido de adulto, aunque sea levemente, alguna inclinación homosexual?

DANIEL.—Nunca.

[DOCTOR.—¿Y de niño?

DANIEL.—Que yo recuerde, no.]

DOCTOR.—¿Alguna experiencia de otras formas de practicar el amor [con mujeres?]

DANIEL.—Eso... según se entienda...

DOCTOR.—Quiero decir si en algún caso ha prescindido [voluntariamente] del cumplimiento normal para satisfacerse.

DANIEL.—Siempre he terminado normalmente.

DOCTOR.—Pues es usted desusadamente normal, señor Barnes. *(Sonríe.)* Esto puede ser largo. Pero daremos con ello. ¿Cuál es su trabajo?

DANIEL.—Soy... funcionario público.

DOCTOR.—[Ya lo sé.] ¿Qué clase de funcionario [público?]

DANIEL.—*(Sonríe.)* No solemos franquearnos acerca de eso... Hay [muchos] prejuicios contra nosotros. Pero no veo qué relación...

DOCTOR.—*(Que lo miraba fijamente.)* ¿Es usted policía, señor Barnes?

DANIEL.—*(Después de un momento.)* Pertenezco a la Sección Política de la Seguridad Nacional.

DOCTOR.—*(No puede evitar un respingo.)* ¿Es usted un S. P.?

DANIEL.—Así nos llaman. *(Un silencio. El doctor Valmy se levanta despacio y pasea, pensativo.* [*La voz de Daniel se endurece.)* Lamentaría que usted también participase de esos prejuicios.]

DOCTOR.—[Yo no he dicho nada, señor Barnes.] ¿Es al doctor Clemens a quien le pidió la receta para las hormonas?

DANIEL.—[Sí.] ¿Lo conoce?

DOCTOR.—Superficialmente. ¿No le ha consultado a él [su caso?]

DANIEL.—Allí no quiero que sepan nada.

DOCTOR.—Ya. ¿Cómo entró usted en la policía?

DANIEL.—*(Reprime un movimiento de impaciencia.)* ¿Es necesario contar eso?

DOCTOR.—Podría serlo.

DANIEL.—En la Sección Política estoy desde hace tres años. En la policía entré hace diez. Yo... me quedé huérfano siendo casi un niño y tuve que ponerme a trabajar en una tienda. Yo quería estudiar, escribir... *(Sonríe.)* Bueno, aún escribo algo en nuestra revista.

DOCTOR.—Me parece muy bien.

DANIEL.—Mi jefe [actual] era amigo de casa y sugirió a mi madre que me preparase para el ingreso. Así fue como entré. Y hace tres años me llevó él mismo a la Sección, cuando vio que yo había madurado políticamente.

DOCTOR.—¿Usted no presume la causa de su trastorno? A veces el enfermo sospecha algo...

DANIEL.—Yo... no sé.

[DOCTOR.—Piénselo. Algún incidente infantil relacionado con el sexo, o con la actividad erótica de sus padres..., o de sus amigos...

DANIEL.—*(Deniega.)* Ya he buscado por ahí.

DOCTOR.—¿Recuerda algún sueño reciente?

DANIEL.—No.]

DOCTOR.—¿Hace veinte días, dijo usted?

DANIEL.—Sí.

DOCTOR.—*(Se sienta de nuevo.)* ¿No ha habido, por casualidad, en los días anteriores, nada relacionado con el sexo?... ¿Aunque sea una lectura?...

DANIEL.—*(Después de un momento, sin mirarlo.)* No.

[DOCTOR.—¿Por qué no me mira?

DANIEL.—*(Lo mira.)* Le he dicho que no, doctor.]

DOCTOR.—[Sin embargo,] yo diría que sí. Usted ha parpadeado ante la pregunta.

DANIEL.—Habrá sido casual.

DOCTOR.—No es casual. Usted es policía y tiene que saberlo. [Como sabe ofrecer un cigarrillo al detenido para confiarlo.] Yo también soy policía... a mi modo. Cuénteme.

DANIEL.—No tiene ninguna relación...

DOCTOR.—[No esté tan seguro.] Cuente. Aunque el hecho le parezca sin importancia.

DANIEL.—¡No es que me parezca sin importancia! ¡Es que no tiene relación! Además, pertenece al secreto de mi trabajo.

DOCTOR.—Y al [secreto] del mío. Aquí se viene a contar secretos, señor Barnes.

DANIEL.—De todos modos... no debo contarlo.

DOCTOR.—Es usted muy dueño de callar. [Pero así no podré ayudarlo.] *(Se levanta.)*

DANIEL.—*(Se levanta.)* ¡Espere! ¡Lo contaré si se empeña! Pero no veo qué relación puede tener...

DOCTOR.—*(Fuerte.)* ¡Cuente, señor Barnes! [Usted ha venido a eso.]

DANIEL.—Son cosas que [la mayoría de] la gente no comprende. ¡Pero son necesarias!

DOCTOR.—Adelante. *(Se sienta y le indica el sillón.)*

DANIEL.—*(Sin sentarse.)* ¡Esto es ridículo! [¡Habría que buscar por otro lado!

DOCTOR.—*(Tenaz.)* Cuente.

DANIEL.—] ¡Y usted no tiene derecho a juzgar estos actos!

DOCTOR.—Yo no juzgo nada. Es usted quien los juzgará. *(En la oficina crece una luz verdosa e irreal.)*

DANIEL.—Allí todo el mundo va a mentir, doctor... Tiene que hacerse cargo de ello. Hace unos treinta días... hubo que tratar con mucha dureza a un detenido. *(Ríe, nervioso.)* Y papaíto, como le llamamos nosotros, me encargó a mí la tarea más difícil.

(Durante estas palabras el comisario PAULUS *entra por la puerta del foro en la oficina y va a sentarse tras la mesa. Es un anciano de cabellos blancos y aspecto vigoroso.)*

DOCTOR.—¿Papaíto?

DANIEL.—Nuestro comisario jefe. [Es un hombre extraordinario.]

DOCTOR.—¿Le puso usted ese apodo?

DANIEL.—No recuerdo.

DOCTOR.—¿Es el antiguo amigo de su casa?

DANIEL.—El mismo.

DOCTOR.—Siga, por favor.

DANIEL.—*(Avanza hacia la escalerilla.)* [En el país estamos viviendo momentos difíciles, usted lo sabe... En Jefatura hemos tenido más de sesenta detenidos a causa de los últimos disturbios. *(Se vuelve a mirarlo.)* Mi oficio es un duro oficio, doctor... Pero] sin nosotros el país se hundiría. Tiene que comprenderlo.

DOCTOR.—Adelante. *(Daniel suspira, se vuelve y sube por la escalerilla. El comisario Paulus lo mira. El rincón del doctor queda en penumbra.)*

DANIEL.—El mío ha confesado, jefe. He dejado a Dalton para la declaración.

[PAULUS.—*(Mira su reloj.)* ¿En dos horas?

DANIEL.—No aguantó mucho.]

PAULUS.—Muy bien, hijo. Si Marsan quiebra a los suyos, podremos redondear el asunto. ¿Un cigarrillo?

DANIEL.—*(Lo acepta.)* ¿Y Marty?

PAULUS.—Ahora lo suben. Por eso te quiero a mi lado. [A ése] hay que doblegarlo, cueste lo que cueste.

DANIEL.—*(Se encoge de hombros.)* Después de lo que se le ha hecho...

PAULUS.—Tengo una idea. [*(Suena el teléfono. Lo toma.)* Diga. *(Su tono cambia.)* A sus órdenes, jefe.] *(Por la invisible escalerilla de la izquierda suben* LUIGI *y* POZNER, *que conducen a* MARTY, *esposado. [Paulus los indica que esperen mientras sigue hablando.]* LUIGI *es delgado, sonríe casi siempre y en sus movimientos hay algo ambiguo.* POZNER *es un hombre corpulento y tranquilo. El detenido,* ANÍBAL MARTY, *no pasará de los 35 años. Viene en mangas de camisa, viste un viejo pantalón y calza alpargatas. Luce barba de varios días y su aspecto es horripilante: parece un cadáver.)* [Sí, jefe... Ya han confesado casi todos. Yo creo que es cosa de dos días... A sus órdenes. *(Cuelga.)*] Pozner, quítele las esposas. *(Pozner lo hace. Marty se acaricia las muñecas con dedos temblorosos. Luigi se sienta en el sofá. Paulus se levanta y se acerca al preso. Daniel se recuesta en la mesa.)* ¿Estaban apretadas?

POZNER.—No, [jefe.] Pero cualquier roce [sobre las quemaduras] le duele.

PAULUS.—¡Ah, las quemaduras! *(Le toma a Marty las muñecas y las mira.)* [Pero] no son más que chispitas que saltan entre el metal y la piel. [El procedimiento aún no es perfecto.] ¿Cuántas veces le aplicamos la corriente, Luigi?

LUIGI.—Pocas, jefe. Seis.

PAULUS.—A ver las uñas. *(Le aprieta levemente la punta de los dedos de la mano izquierda. Marty ahoga un gemido.)* No te quejes [muchacho.] Aún conservas las de la derecha, porque tienes que firmar. *(Se abre la puerta del foro y entra* MARSAN *en mangas de camisa, con dos hojas de papel en la mano, que pone sobre la mesa.)*

MARSAN.—Estos dos ya han cantado.

PAULUS.—*(A Marty.)* ¿Te enteras, idiota? Todos [cantan. ¡Y] firman! Acércate; no es un truco. *(Pozner lo empuja y Marty llega junto a la mesa. No puede evitar una inquieta ojeada a los papeles.)* [Te interesa leerlas, ¿eh?] *(Pone las hojas ante su vista.)* ¡Cógelas! *(Marty lo hace y lee. Luigi ríe. Paulus bordea la mesa y, al pasar tras Marty, lo empuja por los hombros para que se siente en la silla.)* Siéntate, bobo. Lo vas a necesitar. *(Le arrebata los papeles y les echa un vistazo.)* Buen trabajo, Marsan.

MARSAN.—Gracias, jefe. *(Se retira junto al sofá y se recuesta en la pared.)*

PAULUS.—[Siéntese, Pozner. Y tú, Daniel.] *(Pozner va al sofá. Daniel se sienta junto a la máquina.)* Bien... Sólo quedas tú. Y vas a hablar.

MARTY.—Le he dicho todo lo que sabía.

MARSAN.—¿Oyes, Luigi? Ha dicho todo lo que sabía.

LUIGI.—*(Risita.)* ¡Me conmueve!

PAULUS.—[¡Silencio!...] Dale un cigarrillo, Daniel. Esta es una conversación amistosa. *(Enciende un cigarrillo, mientras Daniel le pone al detenido otro cigarrillo en la boca y se lo prende, volviendo luego a su sitio.)* Marty, [tú no eras más que un enlace. El día dos del mes pasado recibiste la visita de] un desconocido que venía del extranjero. [Y no sabes quién es.] Te dio un sobre que tú debías llevar a algún sitio. Y tampoco sabes el contenido. Bien; admitámoslo. Pero el lugar a donde fuiste y la persona a quien se lo entregaste sí los conoces.

MARTY.—¡Ya le he dicho que fue en un café!

PAULUS.—¡Fue en una casa! *(Levanta las declaraciones.)* Ya has visto que todos coinciden.

MARTY.—Esas declaraciones pueden haberse conseguido...

MARSAN.—*(Duro.)* ¿Cómo? *(Marty lo mira, asustado. Marsan avanza.)* ¿Cómo, di?

PAULUS.—Marty, todos te traicionan. Son unos cobardes y no se merecen tu silencio. ¿No vas a defenderte indicándonos al verdadero responsable? *(Un silencio.)* [No te has engañado.] ¡Tus compañeros te delatan como a su jefe porque terminan firmando lo que se nos antoja! ¿Vas tú a resistir más que ellos? *(Un silencio.)* Si hablas, te doy mi palabra de honor *(Marty lo mira.)* de que el atestado será leve. Tú eras un enlace, ignorante de todo [y escogido precisamente por serlo.] Saldrás con [tres o] cuatro años de cárcel. [Poca cosa;] pasan pronto y después, ¡a vivir de nuevo! Eso, si quieres hablar. [Si no... hablarás de todos modos, pero lo que nosotros queramos. Entonces serás uno de los jefes y tú mismo lo firmarás. Aquí no hay escape, ya lo sabes.] ¿Te decides? *(Un silencio.)*

MARSAN.—¿Quieres que traigamos [otra vez] a tu mujer? *(Marty lo mira, sobresaltado.)*

PAULUS.—[Sería] horrible, ¿verdad? Porque tú la quieres mucho. Y sin embargo, cuando estuvo aquí no hablaste. Descuida: no la volveremos a traer. Hay mucha liga de derechos humanos por ahí fuera, mucho abogado entrometido, y no nos conviene insistir con los que van a quedar libres. Hace poco que estáis casados, ¿no?

POZNER.—Año y medio, jefe.

Escena de la representación en el teatro Benavente el día del estreno

Foto S. Yubero

PAULUS.—Todavía en la luna de miel, como quien dice. No sé para qué os metéis en estos líos. Si sales de ésta, ¿no te gustaría tener hijos?... ¡Contesta!

MARTY.—No lo sé.

PAULUS.—[Claro que] te gustaría. Y a ella. [Se nota que sois un par de tórtolos.] *(Con mucha dulzura.)* Verdaderamente, es lástima. Porque quizá no los tengáis ya. *(Marty lo mira sin comprender.)* No, no lo digo porque vayas a morir o [porque] te vayas a pasar la vida en presidio. [Bien mirado,] casi prefiero [hacerte un atestado leve, para] que puedas volver con tu mujer dentro de unos años. *(Los policías se miran.)*

MARSAN.—Demasiado bueno, jefe.

PAULUS.—[¿Sí?... Pero] es que, de todos modos, habremos de apretarle. Y como nos habrá obligado a apretarle mucho..., ya no tendrá hijos. *(Marty lo mira, asustado. Daniel se levanta. Todos se miran.)* Pero él no querrá vivir toda la vida con su mujer como con una hermana. Sería un precio excesivo para esta locura suya de juventud.

LUIGI.—*(Silba levemente.)* Fantástico.

PAULUS.—*(Brutal, a Marty.)* ¡Supongo que me entiendes! [Lo he dicho muy en serio y] ya nos tienes hartos. ¿Vas a hablar? *(Luigi se levanta y da un paso. Marsan se incorpora.)*

MARTY.—*(Se levanta, histérico.)* ¡Yo no sé, yo no sé nada!...

PAULUS.—¡Basta! Tú lo has querido. Llévenlo [adentro] y que se desnude. Daniel, quédate conmigo. *(Entre Pozner y Marsan arrastran al detenido hasta la puerta del foro. Luigi la abre.)*

MARTY.—¡Si yo no sé nada!

POZNER.—Di mejor que no te acuerdas. Pero ahora te vas a acordar. *(Marty los mira, desencajado. Salen por el foro.)*

LUIGI.—¿Empezamos ya?

PAULUS.—Ahora entraré yo. *(Luigi baja la cabeza y sale a su vez, cerrando. Paulus mira a Daniel.)*

DANIEL.—[Yo creo que hablará.] Esa amenaza le ha roto.

PAULUS.—No es una amenaza.

[DANIEL.—Pero...

PAULUS.—Sigue negando] y no hablará mientras no empecemos. Pero ya verás como entonces se le suelta la lengua. [Yo ya soy viejo y creo más en estas cosas que en las corrientes y todas esas monsergas nuevas.] Al hombre le quiebra el daño en sus centros vitales: eso no falla.

[DANIEL.—¿Y si... no hablase?]

PAULUS.—*(Irritado, se levanta.)* [¡Tiene que hablar!] *(Pasea.)*

DANIEL.—¿No habrá peligro... de que muera?

PAULUS.—Tendremos cuidado. *(Se vuelve y lo mira.)* Esto lo vas a hacer tú, hijo mío.

DANIEL.—*(Da un respingo.)* ¿Yo?

PAULUS.—No me fío de ninguno de ésos; [estas cosas les enardecen. Por eso] quiero que lo hagas tú. *(Le pone una mano en el hombro.)* Daniel, [no se puede tener compasión.] Son alimañas que hay que aplastar sin contemplaciones.

DANIEL.—Yo... no sé cómo he de hacer...

PAULUS.—Yo te iré indicando. *(Va hacia la puerta.)* ¿Vamos? *(La abre. La luz empieza a decrecer y vuelve al primer término. Paulus sale por el foro y cierra. Daniel comienza a bajar la escalerilla. Oscuridad arriba.)*

DANIEL.—*(Mientras baja.)* Hubo que llegar al final. *(Llega abajo.)*

DOCTOR.—*(Sin mirarlo.)* ¿Cómo lo hizo?

DANIEL.—*(Molesto.)* ¿Es necesario entrar en detalles?

DOCTOR.—De momento me basta ver que se resiste a darlos. ¿Habló el detenido?

DANIEL.—*(Fríamente.)* Se desvaneció. Y [luego]

hubo que llevarlo al hospital. Pero hoy lo hemos devuelto a Jefatura.

DOCTOR.—¡Ah! *(Daniel vuelve a sentarse.)* [Entonces,] ¿se ha restablecido?

DANIEL.—Está casi curado, pero ya nunca será un hombre.

DOCTOR.—¿Está seguro?

DANIEL.—Eso ha dicho el médico. *(Largo silencio.)*

DOCTOR.—¿Lamenta lo que ha hecho?

DANIEL.—Cumplí con mi deber.

[DOCTOR.—No sé si se da plena cuenta de cómo ha revivido la escena.

DANIEL.—Esas cosas no son agradables. Pero hay que hacerlas.] *(Un silencio.)* Bien: [eso es todo.] Supongo que se habrá convencido ya.

DOCTOR.—¿De qué?

DANIEL.—De que hay que buscar por otro lado.

DOCTOR.—Al contrario. Está clarísimo.

DANIEL.—¿Clarísimo?

[DOCTOR.—Usted dice que no está arrepentido...

DANIEL.—No tengo nada de qué arrepentirme.

DOCTOR.—Más valdría que lo estuviese.

DANIEL.—No entiendo.]

DOCTOR.—[Pues es muy sencillo:] usted ha elegido arrepentirse mediante la enfermedad, precisamente por no estar arrepentido.

DANIEL.—Oiga, doctor; yo he leído algo de esas cosas y siento decirle que no me parecen convincentes.

DOCTOR.—Señor Barnes, usted podría felicitarse. Hay casos cuya aclaración cuesta años, y hoy hemos aclarado el suyo en unos minutos. Sin embargo, [no creo que deba felicitarse. Porque] usted, probablemente, nunca querrá curar.

DANIEL.—¡He venido [aquí] para eso!

DOCTOR.—A pesar de haber venido. [Algo en su interior le dice que lo que ha hecho no se puede hacer, aunque usted afirma que se debe hacer.]

Para curarse, tendría que admitir que ha cometido algo injustificable y espantoso. [Y aun así, no creo que se curase...] O tendría que llegar a la absoluta convicción de que ése y otros actos parecidos eran [duros, pero] meritorios y justos... Y yo no creo que nadie pueda convencerse en el fondo de tal cosa. Usted, desde luego, no lo está.

DANIEL.—¡Suponiendo que fuese ésa la causa de lo que me sucede, sólo significaría que mis nervios me traicionan, [que no estoy lo bastante maduro! ¡Pero yo superaré esa debilidad!

DOCTOR.—Inténtelo, ya que lo cree posible.

DANIEL.—¡Sé que es posible!] Quizá yo no tenga la fortaleza necesaria. Pero otros la tienen.

DOCTOR.—¿Sus compañeros?

DANIEL.—¡Sé [muy bien] que no les pasa lo que a mí!

DOCTOR.—[¿Cómo sabe que] no les pasan otras cosas? Según los ha descrito, yo diría que también están enfermos. [¿Puedo preguntarle qué hicieron con la mujer de ese detenido?

DANIEL.—Eso es anterior. Y yo estaba en el sur, practicando detenciones.

DOCTOR.—No ha contestado a mi pregunta. ¿La golpearon? *(Un silencio.)* No conteste si no quiere. Quién sabe si también se está usted castigando por lo que le hicieron a ella. *(Daniel lo mira.)*

DANIEL.—Yo no hago esas cosas. *(El doctor se encoge de hombros.)* Pero, de haberlos, esos excesos demostrarían...

DOCTOR.—Que sus compañeros tienen menos escrúpulos que usted. No que estén más sanos.]

DANIEL.—Hay uno, al menos, que está sano.

DOCTOR.—Su jefe.

DANIEL.—¡Exacto!

DOCTOR.—A lo mejor padece de insomnio, o le duele el estómago...

DANIEL.—¡No le duele!

DOCTOR.—Bien. No discutamos eso. ¿Cuándo puso [usted] la mano por primera vez sobre un detenido?

DANIEL.—*(Molesto.)* Ya hace muchos años.

[DOCTOR.—¿Recuerda al detenido?

DANIEL.—¡Sí!] ¡Y tampoco me arrepiento! Era un canalla que había abusado de un niño.

DOCTOR.—Claro. Supongo que al principio es fácil aprender a despreciar. Degenerados, estafadores, borrachos... Luego [le cambian a uno de sección y] hay que torturar a políticos. Pero para eso se madura políticamente.

DANIEL.—Esos sediciosos son más despreciables que los delincuentes comunes.

[DOCTOR.—*(Seco.)* Puede ser. Pero usted debe considerar la posibilidad contraria: la de que haya madurado políticamente, como usted dice, porque preveía que un día le llevarían a la Sección Política y sospechaba que no sería capaz de cometer ciertos actos sin una justificación que, al menos en parte, le tranquilizase.

DANIEL.—*(Agrio.)* Toda esa psicología es pura bazofia.]

DOCTOR.—Como quiera. Pero [yo opino que] usted debió pensarlo bien antes de dar aquella primera bofetada. Porque [en el fondo es lo mismo, señor Barnes:] detrás de la primera bofetada está todo lo demás. *(Un silencio.)*

DANIEL.—*(Débil.)* ¿Por qué dijo que no creía en mi curación ni aunque yo admitiese que había cometido algo injustificable?

DOCTOR.—Porque el hecho es irreparable. Usted no podría devolver su virilidad a ese pobre hombre, y por eso ha anulado la suya propia. Es una paradoja: su curación es su propia enfermedad. Eso, dicho sea de paso, habla en su favor. Sin embargo... *(Calla...)*

DANIEL.—¿Qué?

DOCTOR.—[Nada.] No puedo ocuparme de su caso.

DANIEL.—¡Usted es médico!

DOCTOR.—Ahora sabe [perfectamente] lo que le ocurre y si alguien puede resolverlo será usted, no yo. [Sólo que... no creo que lo resuelva.

DANIEL.—Pero ¿por qué no? ¿Por qué?

DOCTOR.—] *(Se levanta. Daniel le imita lentamente.)* Por lo que ha hecho hay que pagar un precio muy caro, y lo está pagando. Para dejar de pagar ése, tendría que [pagar otro no menos caro.

DANIEL.—¿Cuál?

DOCTOR.—¡Qué sé yo! Necesitaría] transformarse... Acaso abandonar su profesión... [Buscar un perdón muy difícil de lograr, a costa de acciones... que no puedo ni imaginar siquiera. Usted ya no es un muchacho,] y es improbable que se atreva a destruir hasta ese extremo sus medios de vida, su personalidad...

DANIEL.—¡Yo quiero curarme!

DOCTOR.—Usted quiere pagar y ya escogió su forma de pago. Yo soy un hombre honesto, señor Barnes. Hacerle volver, [y volver,] sería un robo. No quiero robarle su dinero.

DANIEL.—*(Después de un momento.)* No. Usted me despide porque le repugno. Pero, ¿está seguro a su vez de saber por qué [le repugno?... ¡Vamos,] confiese usted también! ¡Admita que me ha estado recriminando para atraerme al campo contrario, que es el suyo!

DOCTOR.—[Si es una pregunta de policía,] usted no ha venido aquí a hacer preguntas de policía.

DANIEL.—*(Ríe, nervioso.)* ¿Me va a decir que no estaría más dispuesto a disculpar ciertos actos si hubiera otra política en el Poder?

DOCTOR.—[Eso a usted no le importa. Pero si quiere saberlo, le diré que] no; [que] en ningún caso.

DANIEL.—*(Después de un momento, sombrío.)* Es fácil de decir. Buenas tardes. *(Se dirige al lateral derecho.)*

DOCTOR.—Señor Barnes... *(Daniel se vuelve.)* Una última advertencia. Podría suceder un día que se creyese curado, a consecuencia de [haber adoptado] alguna decisión que, de momento, le pareciese suficiente... Procure no engañarse. [Le repito que] el precio a pagar ha de ser muy alto. De lo contrario, esas curaciones aparentes no duran.

DANIEL.—*(Con rencor.)* ¿Qué le debo?

DOCTOR.—Nada. Buenas tardes. *(Daniel sale. La* SECRETARIA *reaparece discretamente.)* Reconozco que no fui prudente. [Durante días, temí verme en la S. P., brutalizado para confesar yo también cualquier infundio.] Cuando a un enfermo así se le pone tanto poder en sus manos, todo puede esperarse... Pero él había adivinado [en parte:] no me porté como un buen médico a causa de la profunda repulsión que me inspiró [de pronto.] Sólo más tarde logré compadecerle también; quizá tanto como al infeliz que él había destrozado.

SECRETARIA.—Destrozado. *(Momentos antes creció la luz en casa de los Barnes. Ahora suena el timbre.* MARY *entra por la izquierda mirando su reloj, seguida de* LA ABUELA, *que trae un mantel y servilletas. La abuela le indica que vaya a abrir mientras corre a la mesita del sofá. Deja las servilletas y el mantel, toma el florero y sale aprisa por la izquierda.)*

DOCTOR.—Premeditadamente me abstengo de comentar qué lucha política, qué actos de sedición fueron aquéllos. El lector [que lo ignore] queda en libertad de imaginar que la razón estaba de parte de los sediciosos, y también de suponer lo contrario. [Sé que,] para muchos, semejante proceder escamotea la comprensión del problema, según ellos sólo alcanzable mediante el estudio de tales aspectos. Yo opino lo contrario; sólo callándolos se nos revelarán [en toda su desnudez] las preguntas que esta historia nos propone y ante las que cada cual debe meditar si es o no lo bastante honrado para no eludir las respuestas. *(El doctor y la secretaria salen por la derecha. La abuela vuelve rápidamente y extiende el mantel sobre la mesita. Se oye la voz de Mary.)*

MARY.—*(Dentro.)* ¡Muchacha, te has puesto guapísima! *(Entra, seguida de* LUCILA.) Aunque [te noto] un poco pálida, eso sí. ¿Hay ya novedades?

LUCILA.—Aún no. *(Es una muchacha muy joven, de agradable fisonomía y aire intimidado, que viste con pulcra modestia.)*

MARY.—[Las tendréis pronto, ya lo verás.] Abuela, es Lucila. Una de mis alumnas.

LUCILA.—*(Le tiende la mano.)* ¿Cómo está usted, señora?

ABUELA.—Mucho gusto, hija. [Siéntese, por favor.] En seguida vuelvo.

[MARY.—*(La detiene.)* ¡Yo iré, abuela!

ABUELA.—] Quédate tú. *(Va hacia la izquierda.)*

MARY.—¡Siéntate, Lucila! *(La abuela sale.)*

LUCILA.—Gracias. *(Se sienta en el sofá. Mary lo hace a su lado.)*

MARY.—¡Conque ya casada! [¡Si parece imposible! Bueno: también a mí me parecía imposible y ya ves.] ¿Quién es tu marido?

LUCILA.—[Es... Bueno,] está empleado en una librería y... No sé ni cómo empezar.

MARY.—*(Ríe.)* ¿Aún no has perdido la timidez, Trencitas?

LUCILA.—Es... Es muy bueno.

MARY.—*(Ríe y la besa.)* Me encanta verte feliz. [¿Qué tal os va?] ¿Os desenvolvéis bien?

LUCILA.—Nos vamos defendiendo. Yo cuido niños... Es decir, cuidaba. [No siempre sale ese trabajo. Ahora quiero entrar en un almacén.] *(Entra* LA ABUELA *con una bandeja en la que trae la merienda. Lucila se levanta.)*

ABUELA.—Siéntese, hija.

LUCILA.—Con su permiso. *(Se sienta.)* No se ha debido molestar, señora [maestra.]

MARY.—¡No me llames así, que me aviejas! *(La abuela deja la bandeja y da unos pasos indecisos.)*

ABUELA.—Yo voy adentro. Ustedes tendrán que hablar... *(Sonríe y sale.)*

MARY.—[Está algo sorda, ¿sabes?] Prefiere tomarse su leche delante de la televisión. *(Sirve.)* ¿Café?

LUCILA.—Así está bien, gracias. *(Mary sirve la leche.)* Dos terrones, por favor. *(Mary se los sirve y corta el bizcocho.)*

MARY.—Prueba este bizcocho. [Está riquísimo.] ¿O prefieres tostadas?

LUCILA.—Un poco de bizcocho. *(Mary se lo sirve.)* Gracias. *(Empiezan a merendar.)*

MARY.—[Lo que] no te perdono [es] que no me avisases de tu matrimonio. ¿También [entonces] te dio vergüenza?

LUCILA.—Como usted tampoco avisó del suyo...

MARY.—Es que a mí sí me dio vergüenza, Lucila. Ante vosotras... me creía una vieja.

LUCILA.—¿Usted?

MARY.—Si tú supieras... [¡Déjame que yo te cuente también!

LUCILA.—*(Violenta.)* Señora maestra, yo...

MARY.—¿Otra vez?

LUCILA.—No me acostumbro.

MARY.—Ya te acostumbrarás.] Pero, ¡come, muchacha! *(Lucila muerde un trozo de bizcocho y lo deja.)* Así. [Ya no somos la alumna y la maestra.] Ahora somos dos amigas felices. ¿Te das cuenta, [Lucila?] No, tú no te das cuenta; a ti te han llegado las cosas a su tiempo. [Pero a mí...] ¿Tú sabías que yo tuve un novio hace muchos años?

LUCILA.—No.

MARY.—¡Claro! Eras una niña. Y yo, [a pesar de todo, una vieja para vosotras. Porque yo he sufrido durante muchos años, hija mía. Y también vosotras me hacíais sufrir.

LUCILA.—¿Nosotras?

MARY.—] Os veía y pensaba: crecerán, se casarán... y yo seguiré siendo la señora maestra. [Tú nunca sabrás lo que es eso, Trencitas...] Me habían matado a mi novio en la guerra. [¡Y yo tenía un ansia tan loca de vivir!] Cuando solicité la escuela pensé: estas niñas serán mis hijas. Pero no podía resignarme... Y los años se me iban junto a mi pobre padre... Y cuando él murió, me encontré tan sola... Me iba al parque con algún libro, o a los cafés. Lo conocí en un banco de un parque.

LUCILA.—¿A su marido?

MARY.—Él notó que estaba llorando y se acercó. [Era muy afortunado con las mujeres;] yo creo que se casó conmigo por compasión. Mi enfermita —me decía—, yo te curaré... Pero yo me dije: Tú me querrás. *(Se levanta y pasea con los ojos húmedos.)* Ahora, cuando nos sentamos [alguna vez] en aquel mismo banco, me dice: ¿Ya estás curada, enfermita? Y nos reímos... [Ya verás qué nene más rico me ha dado.] Tenemos nuestros problemillas, pero también pasarán. ¡No hay nada que yo no sea capaz de hacer por su felicidad! *(La mira.)* No has comido nada.

LUCILA.—*(Con la cabeza baja.)* No tengo ganas.

MARY.—*(Se acerca, intrigada.)* [¿Te sucede algo?] Te noto rara... *(Lucila la mira y vuelve a desviar la vista, muy turbada.)* [¡No será por lo que te he contado!]

LUCILA.—*(Sin voz.)* Yo... venía a pedirle un favor.

MARY.—*(Vuelve a sentarse a su lado.)* ¿Un favor?

LUCILA.—Ya no sé a quién recurrir... He consultado a un abogado, pero me aconseja que no haga nada... [Sería peor.] *(La mira, angustiada.)*

MARY.—¿Qué te pasa?

LUCILA.—Usted siempre fue tan buena con nosotras...

MARY.—¡Habla!

LUCILA.—*(Después de un momento.)* ¿Es verdad... que su marido es miembro de la S. P.?

MARY.—*(Desconcertada.)* ¿A qué viene eso?

LUCILA.—A mi marido lo ha detenido la S. P. *(Mary la mira, asombrada.)* Quizá le haya oído a su esposo hablar de él... Se llama Aníbal Marty.

MARY.—Él nunca me habla de su trabajo.

LUCILA.—Lleva detenido cuarenta y dos días. Y aún no han pasado su caso al juez.

MARY.—Lucila... No puedo creer que tu marido sea uno de esos agitadores...

LUCILA.—*(Se yergue.)* Depende de lo que entienda por agitadores.

MARY.—¿Qué ha hecho?

LUCILA.—No lo sé. [Quieren hacerle confesar algo que dicen que él sabe.

MARY.—¿Qué quieres de mí? ¿Que hable a mi marido para que pasen su caso al juez?

LUCILA.—*(Sonríe con tristeza.)* Es lo legal, pero sé que sería inútil pedirlo.] Yo sólo quería... *(Solloza.)* ¡A él lo tuvieron que llevar al hospital hace veinte días!

MARY.—¡Lucila! ¡Hija! *(Le toma las manos.)*

LUCILA.—[No me pregunté cómo lo sé. No debo decirlo.] ¡Y [también sé que] mañana, o quizás hoy mismo, lo vuelven a llevar a la S. P.! *(Solloza inconteniblemente.)*

MARY.—No llores...

LUCILA.—Yo sólo pido que... [no sean ya demasiado duros con él...] ¡Que no me lo torturen más! *(Hunde el rostro en el pecho de ella.)*

MARY.—*(Conmovida y atónita le acaricia la cabeza.)* Cálmate. Por favor.

LUCILA.—*(Intenta sobreponerse.)* Perdóneme. *(Se separa.)*

MARY.—No, hija. Si es natural. *(Breve pausa.)* ¿Has dicho torturar?

LUCILA.—Sí. *(Llora.)*

MARY.—¡No llores, te lo ruego!... ¿Quieres decir que lo han tenido algunas horas de pie, [o bajo un foco de luz] mientras lo interrogaban? *(Lucila la mira, asombrada.)*

LUCILA.—Por eso no le habrían llevado al hospital.

[MARY.—¿Qué?

LUCILA.—¡Pues claro!] *(Mary se levanta y pasea, nerviosa.)*

MARY.—*(Se vuelve.)* [Creo que eres sincera,] Lucila. [Pero] no creo que te des cuenta de lo que estás haciendo. *(Dulce.)* Porque, ¡vamos!, repara en que has venido a mi casa para decirme que mi marido tortura...

LUCILA.—Yo no he dicho...

MARY.—¡Claro que lo has dicho! Te lo perdono [porque no has dejado de ser una niña y] porque estás pasando un mal momento... Acepta un consejo, hija mía: no creas esos infundios... Tu marido se pondría enfermo y [por eso] lo hospitalizarían.

LUCILA.—*(En el colmo del asombro.)* ¿Es que no sabe lo que allí pasa?

[MARY.—¿Otra vez?

LUCILA.—] *(Su expresión se endurece. Se levanta.)* [Supongo que usted también es sincera...]

MARY.—Me vas a enfadar, pequeña. Sé muy bien cómo es mi marido y él no me miente.

LUCILA.—Antes dijo que él no le hablaba de su trabajo.

MARY.—¡De los detalles, no! Pero aquello no es lo que te figuras. *(Risueña.)* Quizá se exceden a veces y dan alguna [que otra] bofetada...

LUCILA.—*(Tenaz.)* Los destrozan.

MARY.—¡No digas enormidades! Los someten a cierta presión física, [eso sí...] Y más que nada, psicológica...

LUCILA.—¿Es así como usted llama a la corriente eléctrica? *(Mary se revuelve y la mira. Después va a su lado y la toma de los brazos para zarandearla con brusca familiaridad.)*

MARY.—Estás pasándote de la raya.

LUCILA.—También los meten en un baño, hasta que casi se ahogan, [una y otra vez...]

MARY.—*(La sienta de un empujón.)* ¡Siéntate! *(Y se aparta, alterada.)* Perdona. Es que... me cuesta creer que tú pertenezcas al coro de los calumniadores. [¿Qué ventaja sacáis propalando esas cosas?]

LUCILA.—[Eso. ¿Qué ventaja? ¿No comprende que es peligroso?] Si nos atrevemos a decirlo a pesar del peligro, será por algo.

MARY.—*(Corre a sentarse a su lado.)* ¡No, no! ¡Hay leyes, hay tribunales! ¡Si fuera cierto, se sabría!

LUCILA.—Hay personas empeñadas en que no se sepa. Y muchas otras... que no quieren saberlo. *(Desvía la vista.)* Como usted.

MARY.—*(Después de un momento.)* Lucila, debe verte un médico.

LUCILA.—*(Se levanta.)* [¡Cállese!] ¡No quería decírselo, pero [usted me obliga a ello!] A mí me detuvieron también, ¿se entera? *(Mary se levanta. Lucila da unos pasos muy alterada.)* ¡Y me golpearon horriblemente! *(Grita, llorando.)* ¡Y abusaron de mí delante de mi marido! *(Llora, convulsa.)*

MARY.—*(Lenta.)* Me estás mintiendo.

LUCILA.—*(La mira largamente.)* Nunca debí venir aquí. *(Va a recoger su bolso.)*

MARY.—*(Da unos pasos hacia ella.)* ¡Aguarda! *(Dura.)* ¿Estás insinuando que mi marido... puede abusar de una detenida?

LUCILA.—*(Fría.)* [Su marido] no estaba allí. Hablaron de él y pensé que podía usted ser su mujer cuando citaron su apellido... A mí no me ha hecho nada. Pero no sé lo que les habrá hecho a otras. *(Mary le da una bofetada.)* En comparación con aquello, duele poco... *(Mary se toma la mano que agredió y rompe a llorar.)* ¡Maestra!... ¿De qué? ¿De ignorancia? *(Mary la mira, turbada.)* [¿Quién es ahora la vieja y quién la niña?]

MARY.—Nunca pegué a una alumna. [Aunque seas

una embustera, siento haberte pegado.] Olvidaré tu visita. Vete.

LUCILA.—*(Recoge su bolso.)* Yo hallaré el medio de que no la olvide.

MARY.—Calla. La puerta. *(Mira hacia el foro.)* Él dijo que no volvería... *(Entra* DANIEL.)

DANIEL.—No quiero interrumpir; voy adentro. Buenas tardes.

LUCILA.—No se moleste, señor. Yo ya me iba.

DANIEL.—¿Usted es la antigua alumna de mi mujer? *(Le tiende la mano.)*

LUCILA.—*(Se la da tímidamente.)* Sí, señor.

DANIEL.—No se vaya por mí, se lo ruego. Yo desaparezco.

MARY.—Es cierto que se iba ya, Daniel.

DANIEL.—Lo siento. Vuelva siempre que pueda. Mi mujer se lo agradecerá.

LUCILA.—Buenas tardes. *(Se encamina al foro.)*

MARY.—Te acompaño. *(Salen las dos. Daniel las ve marchar, intrigado. Luego saca su pistola, comprueba el seguro y la pone sobre la librería.* LA ABUELA *aparece por la izquierda.)*

ABUELA.—Hola, hijo.

[DANIEL.—Hola, mamá.

ABUELA.—] *(Va a su lado.)* ¿Y la visita?

DANIEL.—Se ha despedido. *(Se besan.)*

ABUELA.—Poco ha durado. *(Mary vuelve por el foro.)* ¿Quieres tomar algo? Este bizcocho está muy bueno.

DANIEL.—Gracias, mamá. No tengo ganas.

ABUELA.—Ay, Dios mío. *(Recoge todo en la bandeja.)*

[MARY.—*(Va a tomarla.)* Déjeme a mí, abuela.

ABUELA.—¿Por qué?

MARY.—¿Y su televisión?

ABUELA.—Viene muy aburrida a estas horas.] *(Levanta la bandeja y se enfrenta con su hijo.)* [Tienes mala cara.] *(Mary recoge mantel y servilletas.)*

[DANIEL.—*(Toma a su madre por los brazos.)* Estoy bien, mamá. Y no me traigas ninguna tableta porque no la necesito.

ABUELA.—] ¿Quieres las zapatillas?

MARY.—Yo te las traigo. *(Va hacia la izquierda.)*

ABUELA.—*(Se vuelve a mirarla.)* ¿Eh?... ¡Ah! *(Va tras ella. Mary sale. Desde la puerta, la abuela se vuelve a mirar a su hijo. Luego sale. Daniel se sienta en el sofá, caviloso, y empieza a quitarse los zapatos. Se detiene y mira hacia el foro, recordando a Lucila. Mary vuelve con las zapatillas, las deja a su lado, recoge los zapatos y va a salir.)*

DANIEL.—La cara de esa chica me es familiar.

MARY.—*(Lo mira.)* [No creo que la hayas visto nunca.] *(Sigue su camino.)*

DANIEL.—*(Se calza.)* ¿Hubo alguna llamada?

MARY.—[Una para mí,] de la mujer de Pozner. Insiste en que nos visitemos.

DANIEL.—Y deberías hacerlo.

MARY.—No me es simpática. *(La abuela entra y va a quitarle los zapatos.)*

ABUELA.—Trae.

MARY.—*(Se resiste.)* Yo los llevo, abuela. *(Intenta salir.)*

ABUELA.—*(Tenaz.)* Trae... *(Le arrebata los zapatos y sale con ellos.)*

[DANIEL.—¿Y qué más te ha dicho la mujer de Pozner?]

MARY.—*(Lo mira fijamente.)* Dice que su marido está enfermo.

DANIEL.—¿Enfermo?

MARY.—Por las noches grita y se despierta. *(Daniel baja la cabeza.)* Ya ves como a todos les pasa algo.

DANIEL.—*(Sobresaltado.)* ¿Qué?

MARY.—Vuestro trabajo debe de ser agotador. *(Daniel vuelve a desviar la mirada. Mary titubea: quiere hablar y no se decide. Entra la abuela con una labor de punto.)*

ABUELA.—Danielito está en sus glorias. ¿No entras a verlo?

DANIEL.—Ahora. *(La abuela se sienta en el sofá, saca el estuche de sus gafas y se las pone para trabajar. De vez en cuando los mira.)*

MARY.—*(Va a recostarse a la biblioteca.)* [Nunca me cuentas detalles de tu trabajo.

DANIEL.—No es agradable.

MARY.—] *(Trivial.)* ¿Tenéis que pegar a los detenidos?

DANIEL.—Alguna vez no hay más remedio que apretarlos un poco.

MARY.—Ya, ya me hago cargo. *(Daniel se levanta y echa a andar.)* ¿Dónde vas?

DANIEL.—A escribir el artículo para la revista.

ABUELA.—¿Dónde vas? *(Daniel le sonríe sin contestar y va hacia la izquierda. Cuando va a salir, se vuelve.)*

DANIEL.—¡Mary! *(Ella lo mira. Él da unos pasos hacia ella. La abuela los mira.)* ¿A qué ha venido esa chica?

MARY.—Después de tantos años, quería verme.

DANIEL.—¡Ya sé dónde la he visto! En una foto de Jefatura. *(Mary deja de mirarlo y va hacia el primer término.)* [Mary, no vuelvas a recibir a esa mujer.] *(Mary se sienta, desfallecida, en el sillón del teléfono.)*

[MARY.—No pienso hacerlo.]

DANIEL.—*(Se acerca.)* Es ella la que te ha hablado del trato a los detenidos, ¿verdad?

MARY.—Yo la he desmentido.

DANIEL.—¿De... quién te hablaba? ¿De su marido?

MARY.—Y de ella misma.

DANIEL.—De mí no, supongo. Yo estaba en el sur cuando la detuvieron.

MARY.—Justo. Ella dice que tú no estabas allí cuando tus compañeros la violaron.

DANIEL.—¿Ha dicho eso?

MARY.—[*(Sonríe nerviosa.)* ¡Ya ves!] *(Daniel se aparta. La voz de Mary se endurece.)* ¿Interrogas tú también a mujeres?

DANIEL.—*(Se vuelve airado.)* ¡Yo no hago esas cosas, [Mary!]

MARY.—*(Se levanta.)* ¿Y tus compañeros? *(La abuela los mira.)*

DANIEL.—Algunos... son muy torpes.

[MARY.—Entonces, ¿no ha mentido?

DANIEL.—*(Turbado.)* Yo te explicaré.]

MARY.—*(Se acerca y lo toma del brazo.)* [¡Dime la verdad!] Ella parecía sincera... Ha venido a rogar... que no torturéis más a su marido.

DANIEL.—*(Por la abuela.)* ¡Cállate! *(Se aparta, muy alterado. Se miran de lejos. La abuela se levanta y, sin mirarlos, sale por la izquierda. Turbados, la ven salir.)* ¿Nos habrá oído? *(Se acerca a la puerta y atisba.)*

MARY.—*(En voz queda.)* ¿Puedes hacer algo por ese hombre?

DANIEL.—Sólo él puede ayudarse. Y no quiere hablar.

MARY.—¿Qué les hacéis?

DANIEL.—*(Se vuelve.)* Son criminales. Deben confesar...

MARY.—*(Horrorizada.)* Entonces, ¿es cierto?

DANIEL.—*(Da un paso hacia ella.)* Mary, no es tanto como se dice.

MARY.—*(Se acerca.)* ¿Le has hecho tú algo a él?

DANIEL.—*(Crispado.)* ¡Esa mujer no puede saber nada! ¡Todo lo que te haya dicho son [mentiras o] exageraciones! *(Sin mirarla.)* [Mary...,] es a tu marido a quien debes creer. Si te ha dicho que la violaron...

MARY.—Ha dicho que abusaron de ella.

DANIEL.—No es lo mismo... [Sufriría algún atrevimiento de mal gusto...] ¿Te ha dicho que yo le he hecho algo a su marido?

MARY.—No.

DANIEL.—¿Lo ves?

MARY.—*(Se arroja en sus brazos, sollozando.)* ¡Te creo! ¡Te creo! *(Suena el timbre. Él se separa, inquieto. Ella lo mira y se dirige al foro.)*

DANIEL.—Mary... *(Ella se detiene.)* [No creo que sea de Jefatura, pero por si acaso...] Di que me he acostado... Que he ido al médico y no me encuentro bien. *(Ella lo mira con asombro. Él va a la izquierda y sale. Mary sale por el foro. Segundo timbrazo. A poco vuelve seguida de* MARSAN, *que viene con abrigo y el sombrero en la mano.)*

MARY.—Lo siento, [señor Marsan.] Vino tiritando y se ha acostado.

MARSAN.—*(Que mira sonriente a todos lados.)* Ya lo sé. Avisó de que no podría ir esta tarde. [Bueno... Supongo que lo visitará nuestro médico.] ¿Puedo verle?

MARY.—Está dormido...

MARSAN.—*(Ríe.)* Suerte que tiene. *(Cruza hacia el sillón.)* Si me diera una copa, se lo agradecería. ¡La necesito de veras! *(Se sienta con el mayor desenfado.)*

MARY.—*(Fría.)* El caso es que yo iba a salir ahora mismo.

MARSAN.—*(Se levanta.)* ¡Magnífico! ¿Me permite que la acompañe?

MARY.—*(Contrariada.)* ¿Cree que estaría bien?

MARSAN.—*(Se acerca.)* ¿Por qué no? Yo no tengo prejuicios.

MARY.—Yo, sí.

MARSAN.—Y... ¿son muy fuertes, señora Barnes?

MARY.—¿Qué quiere decir?

MARSAN.—*(Se acerca algo más.)* No puede imaginar cuánto me gustaría que no lo fuesen.

MARY.—*(Se aparta un paso.)* No le entiendo.

MARSAN.—Me entiende desde la primera vez que vine a esta casa.

MARY.—Marsan, haga el favor de salir.

MARSAN.—*(Le tiembla la voz.)* [La vida ofrece pocas cosas agradables, Mary.] No me diga que es feliz con su marido: eso nunca es cierto. *(Avanza.)*

MARY.—*(Retrocede.)* ¡Salga!

MARSAN.—Hay algo en usted... irresistible. Algo que no tienen las demás.

MARY.—¡Es intolerable que en mi propia casa [se atreva usted a]...!

MARSAN.—*(Fuerte.)* ¡Yo soy muy terco, Mary! Usted lo pensará.

MARY.—¡Váyase ahora mismo!] *(Entra* DANIEL *y lo mira duramente.)*

DANIEL.—Espera. Iremos juntos. *(Un silencio embarazoso.)*

[MARSAN.—¿No estabas acostado?

DANIEL.—Ya me encuentro mejor.]

MARSAN.—*(Rompe a reír de pronto.)* No pongas esa cara, hombre... He bromeado con tu mujer porque sabía que estabas escuchando. [Y que saldrías. Le pido] mil perdones, señora.

DANIEL.—¡Marsan, tú sabes que no podemos pegarnos como dos matones de taberna! El comisario Paulus tendrá que resolver el asunto.

MARSAN.—*(Frío.)* Mejor será que no le digas nada a papaíto y yo tampoco le diré que tratabas de eludir el trabajo. No quiero perjudicarte: [mi objetivo era que volvieses a Jefatura y eso me basta.] *(La luz crece en la oficina de la S. P.)*

DANIEL.—*(Da un paso hacia él, iracundo.)* [¡Estás mintiendo!] *(Arriba, el comisario* PAULUS *entra por la puerta del foro y aguarda, recostado en la mesa.)*

[MARSAN.—¿Sí? Entonces le contaremos todo a Paulus, y veremos a quién cree.]

DANIEL.—*(Se contiene, va a la librería y recoge su pistola.)* Vamos a Jefatura. *(Se dirige al vestíbulo.)*

MARY.—Es cierto que está enfermo, señor Marsan.

MARSAN.—No lo dudo, señora. Buenas tardes y perdone de nuevo. *(Pasa ante Daniel y sale. Angustiada, Mary corre al lado de su marido y lo besa con ardor.)*

DANIEL.—Adiós. *(Sale a su vez. Mary vuelve al primer término, con la cara descompuesta. Abstraída, se apoya en el sillón. Por la escalerilla de la izquierda suben a la oficina* POZNER *y* LUIGI *conduciendo a* MARTY, *que camina con dificultad. Ahora trae chaqueta. Su aspecto ha mejorado algo, pero su expresión es ya la de un absoluto anonadamiento. Pozner se dispone a quitarle las esposas.)*

PAULUS.—No le quite las esposas.

LUIGI.—Hágame caso, jefe. La bañera y la corriente a un tiempo. Eso ya no lo aguanta.

PAULUS.—*(Se acerca a Marty.)* ¿Qué te crees, imbécil? ¿Que ya no hay nada peor? ¡Te engañas! Ya no eres más que un guiñapo, y a los guiñapos se les hace trizas [y se les tira a la basura.] ¿Vas a hablar? *(El preso no se mueve. Aunque no los oye, parece como si Mary intuyese la escena lejana. Con un brusco movimiento intenta sacudir su obsesión; va al centro de la sala y se detiene de nuevo, turbada.)*

[POZNER.—Empezamos cuando quiera, jefe.

PAULUS.—*(Mira su reloj.)* Marsan tarda.

LUIGI.—Ahí sube.] *(Suben por la escalerilla de la izquierda* MARSAN *y* DANIEL.)

MARSAN.—Aquí estamos ya. *(Va a dejar su abrigo y su sombrero en la percha. El detenido mira lentamente a Daniel, que desvía la mirada.)*

PAULUS.—Llévenlo [ustedes dos] adentro. *(Pozner y Luigi salen con Marty por el foro y cierran. Daniel va a dejar su sombrero en la percha.)* ¿Qué te pasa, Daniel? *(Daniel se vuelve, titubeante.)*

MARSAN.—*(Se adelanta, rápido.)* Depresión. Pero [dijo que se encontraba mejor y] se ha empeñado en venir. *(Mary sale bruscamente por la izquierda. La luz se extingue en casa de los Barnes.)*

PAULUS.—Que te vea luego el doctor Clemens. Vamos. *(Se encaminan al foro. Suena el teléfono. Paulus lo toma.)* Diga... Sí, doctor. Acabo de subir a Marty... Eso es cosa mía, ¿no le parece?... ¡Está bien, tendremos cuidado!... [Ya, ya sé que me avisa en mi propio beneficio.] (EL DOCTOR VALMY *aparece por el primer término izquierdo del escenario y su* SECRETARIA, *con lápiz y cuaderno, por el derecho. El doctor trae un libro en rústica, con el que juega distraídamente.)* [Está bien, gracias.] Adiós. *(Paulus cuelga y se oprime, abstraído, los ojos con los dedos. Luego mira a Daniel.)* ¿Tu madre sigue bien?

DANIEL.—Sí, señor. Muchas gracias. [Le envía sus recuerdos.]

PAULUS.—[Gracias.] *(Abre la puerta del foro y sale, seguido de Marsan y Daniel. La puerta se cierra y queda fuertemente iluminada, mientras el resto de la oficina vuelve a la penumbra. La luz crece en el primer término.)*

DOCTOR.—Tras la puerta [del cuartito] sonarían gritos durante [toda] la noche; y quizá en este momento, lector, algún otro desdichado grita allí dentro. Pero la inconsciencia nos vuelve tan sordos como a la madre de mi paciente. *(Cruza hacia la derecha.)* [Su hijo sí los oyó durante la noche entera; él era uno de los que los provocaban.] Las horas pasaron... *(Calla un momento, mirando la puerta.)* Hasta que, de madrugada, sucedió algo. *(La luz vuelve a la oficina. La puerta se abre bruscamente y entra Paulus, que se precipita al teléfono. Mientras marca y espera,* LUIGI *aparece a su vez.)*

LUIGI.—Mala suerte, jefe. *(Entran entonces* MARSAN *y* POZNER, *conduciendo, medio desvanecido, a* DANIEL. *Todos están en mangas de camisa, con los cabellos revueltos; cansados.)*

PAULUS.—¿Doctor Clemens?... ¡Pues despiértelo!... ¡Comisario Paulus! *(Mira al grupo, que avanza.)* ¿No se reanima?

MARSAN.—Es una damisela.

PAULUS.—*(Irritado.)* ¡No tolero comentarios! [Cuando yo deposito en alguien mi confianza sé lo que hago, ¿estamos? Llevadlo.]

MARSAN.—*(Murmura.)* Ya se convencerá, jefe. *(Pozner y él bajan por la escalerilla de la izquierda llevando a Daniel.)*

PAULUS.—[Oiga], Clemens. Suba inmediatamente con algún tónico cardiaco. [Hemos tenido un percance... Sí, sí, con] el detenido. Está sin pulso... ¡Ya sé que me lo avisó! ¡Dése prisa! *(Cuelga. Mira a Luigi y le indica que le siga. Salen los dos por la puerta del foro, que cierran. La luz se extingue en la oficina.)*

DOCTOR.—[He escrito ya que] a los pacientes de la anterior historia se les relató esta segunda sin ahorrar pormenores. [Ya sabemos cuál fue el resultado...] También [a ellos] les insté a leer el libro que la mujer de mi cliente recibió un día. *(Hojea el libro que traía.)* Ese día fue decisivo. [Después del percance en Jefatura], a mi paciente le concedieron una semana de descanso. El libro llegó dos días antes de terminar su permiso. *(La luz ha vuelto a la casa de los Barnes. El doctor Valmy y su secretaria se sientan en la penumbra de su rincón. En el sillón del teléfono,* DANIEL, *en batín, lee un periódico con aire ausente.* LA ABUELA *entra por la izquierda y va a poner unos pañales en el radiador. Luego mira a su hijo, que no se ha movido.)*

ABUELA.—No verás.

[DANIEL.—¿Eh?... No leía.

ABUELA.—] Ya está oscureciendo. *(Va a la lámpara y la enciende. Se cala las gafas y saca del delantal un papel de estraza roto y arrugado, que examina a la luz.)*

DANIEL.—*(Mira su reloj.)* [Las ocho y diez.] *(Irritado, tira el periódico sobre la mesita. La abuela va a recogerlo. Daniel se levanta y pasea, impaciente.)* ¿A qué hora se fue?

ABUELA.—*(Que le hizo pabellón a la oreja con la mano.)* [Ya te lo he dicho:] nada más echarte la siesta. Iba a comprarte las camisas. *(Va al sofá, deja el periódico en la mesita y vuelve a mirar el papel de estraza bajo la luz.)*

DANIEL.—Habíamos quedado en salir [por la tarde,] como todos estos días... *(Va entretanto a la librería para buscar un libro cualquiera.)* [¿Qué estás mirando?]

ABUELA.—*(Deniega pausadamente.)* Este libro no era para ti. *(Le mira.)*

DANIEL.—*(Deja de buscar.)* ¿Qué libro?

ABUELA.—El que llegó esta mañana.

[DANIEL.—¿Esta mañana?

ABUELA.—Tú estabas durmiendo. Creo que] Mary dijo que era para ti.

DANIEL.—No me ha dicho nada. *(Busca en la librería.)* [Y aquí no veo ninguno nuevo...

ABUELA.—*(Trivial.)* Se lo habrá llevado.

DANIEL.—*(Incrédulo.)* ¿Por qué?

ABUELA.—Ella es muy rara, ya lo sabes.

DANIEL.—] *(Va a su lado.)* ¿Qué libro era?

ABUELA.—¿Eh?... No pude verlo de cerca. Fue [en seguida] a tirar el envoltorio y después, ya no lo vi. *(Le tiende el papel.)* Este es el envoltorio. *(Daniel lo toma y se sienta bajo la luz para mirarlo. De pronto levanta la cabeza y escucha hacia el foro. En seguida oculta el papel a su espalda.* MARY *aparece por el foro con su bolso y una caja de cartón. La abuela recoge el periódico de la mesita y va a sentarse, rodeándola, al lado de su hijo.)*

MARY.—Perdona, Daniel. Se me ha hecho muy tarde. *(Deja la caja en la mesita y cruza para dejar su bolso sobre la librería.)* Hola, abuela. *(Vuelve junto a la caja.)* ¿Quieres ver las camisas?

DANIEL.—Luego. ¿Por qué has tardado tanto?

MARY.—[Me encontré con] una antigua amiga.

DANIEL.—¿Quién?

MARY.—No la conoces.] Me invitó a merendar y se

nos ha ido el tiempo. Voy a ver al nene. *(Sale con la caja por la izquierda. Daniel acerca el envoltorio a la luz.)*

ABUELA.—*(En voz queda.)* Pone señora Barnes, ¿no?

DANIEL.—Sí. [Y el remitente es ilegible...] *(Sonríe, nervioso.)* ¡Cuánto misterio! *(Arruga el papel, pensativo, y se lo tiende a su madre.)*

ABUELA.—¿Lo dejo en el cubo? *(Daniel asiente. La abuela disimula el papel entre sus ropas, se levanta y se dispone a salir.)*

DANIEL.—Mamá.

ABUELA.—[¿Eh?] ¿Has dicho algo? *(Daniel se levanta, llega a su lado y le habla al oído.)*

DANIEL.—[Ya verás como no tiene importancia. Por eso no me lo habrá dicho.] *(Sin mirarla.)* [Hazme un favor]: dile que venga y tú quédate por ahí dentro. [¿Quieres?]

ABUELA.—*(Sonríe.)* Bueno. *(Sale. Él vuelve al fondo. Toca un momento el bolso y piensa en abrirlo. Al fin se sienta en el sofá y toma el periódico. Mary vuelve.)*

[MARY.—¿Querías algo?

DANIEL.—¿Cómo está el niño?]

MARY.—[Muy tranquilo.] Si quieres, salimos.

DANIEL.—¿Para qué? De nada me ha servido distraerme.

MARY.—*(Va a la librería.)* Porque no haces más que pensar... *(Toma el bolso y vuelve sobre sus pasos.)*

DANIEL.—Hazme un poco de compañía, mujer.

[MARY.—Es que...

DANIEL.—] ¿No quieres estar conmigo?

MARY.—Qué tontería. *(Suspira, vuelve a dejar el bolso y toma un libro cualquiera. Luego se sienta junto a su marido y lo abre.)*

DANIEL.—[¿Qué libro es ése? *(Mary se lo enseña.)*] Esa novela ya la has leído. ¿Por qué no lees el libro que recibiste esta mañana? *(Ella lo mira, muy pálida.)* ¿O no has recibido ningún libro? *(Ella desvía la vista.)* [¿No contestas?]

MARY.—Sí. Lo he recibido.

DANIEL.—*(Dulce.)* ¿A dónde estamos llegando, Mary?... No tiene nada de particular recibir un libro. A no ser que...

MARY.—¿Qué?

DANIEL.—¿Está dedicado? ¿Algún admirador?... *(Mary lo mira, estupefacta.)* [No me mires así.] En mi situación... debemos comentar serenamente hasta esa posibilidad. *(Mary no puede evitar una risita nerviosa y se pasa la mano por la cara.)* No me gusta esa risa, Mary.

MARY.—El libro está en el bolso.

DANIEL.—*(Seco.)* Gracias. *(Se levanta y va a la librería.)*

MARY.—Me lo he leído entero en un café. Por eso he tardado tanto.

DANIEL.—*(Abre el bolso.)* ¿Quién te lo ha mandado?

MARY.—No lo sé.

DANIEL.—[Ya me lo dirás.] *(Saca el libro. Lee la portada.)* «Breve historia... *(La mira.)* ¡Cómo!

MARY.—... de la tortura.» [«Breve historia de la tortura.» El autor es extranjero.] *(Él hojea el libro bruscamente.)* Como ves, trae muchas ilustraciones. Y [es horriblemente completo.] Llega hasta nuestros días.

DANIEL.—*(Fuera de sí.)* ¿Quién te ha mandado esto?

MARY.—¿No lo sospechas?

DANIEL.—¡Es un libro repulsivo!

[MARY.—Está lleno de documentos. Es veraz.

DANIEL.—] ¿Cómo se pueden publicar estas cosas?

MARY.—¿Cómo se pueden hacer?

DANIEL.—¡Literatura sensacionalista! ¡Engañabobos! *(Arroja con furia el libro sobre la mesita y se aparta.)*

MARY.—[¡Sólo te tengo a ti], Daniel! [¡Y] quiero creerte! [Ya no habrá más mentiras entre nosotros, ¿verdad?] *(Se levanta y va a su lado.)* [¡Yo sé que] tú no puedes haber hecho esas cosas! Se las estás viendo hacer a ellos y tienes que callar. [Es eso lo que te pasa,] ¿verdad? *(Lo abraza.)* ¡Mírame! *(Él lo hace.)* Esos ojos son puros, son buenos... [No; tú no eres como ellos. ¡Si lo sabré yo!...] Pero... ¿cómo has podido colaborar con esas fieras? [¿Te resultó difícil abandonarlas cuando te diste cuenta?] ¡Pobre mío, lo que habrás sufrido! ¡Yo te ayudaré a salir de ese pozo! Ahora que ya nada nos ocultamos, lo lograremos. *(Solloza en sus brazos.)* ¡Lo lograremos, Daniel!...

DANIEL.—*(Débil.)* Vivimos una época terrible, Mary. Ellos [no] son [más que]... ejecutores. Si son culpables, toda la sociedad es culpable. *(Se desprende y va al sillón.)*

MARY.—*(Asombrada.)* ¿Los justificas?

DANIEL.—No lo hacen por crueldad. Los detenidos tienen que confesar. *(Se sienta y esconde la cabeza entre las manos.)*

[MARY.—¿Por cualquier medio?

DANIEL.—¡Tienen que confesar!]

MARY.—¿Mentiras?

[DANIEL.—*(La mira.)* ¿Cómo, mentiras?

MARY.—¡Les hacen confesar mentiras!]

DANIEL.—¿También dice eso el libro?

MARY.—También.

DANIEL.—*(Después de un momento.)* Ellos piensan que... son enemigos a los que no se puede dar cuartel... Que lo demás importa poco. *(Un silencio. Mary lo mira fijamente.)*

MARY.—*(Se reclina en el respaldo del sillón.)* Daniel, es la crueldad. El libro dice que se ha torturado en todas las épocas, pero no sólo para arrancar confesiones. [¡Es espantoso!] ¿Te imaginas? Millones [y millones] de torturados: ojos reventados, lenguas arrancadas, empalados, lapidados, azotados hasta morir; descuartizados, crucificados, enterrados vivos... Quemados vivos... ¡Y no era para obligarlos a hablar! ¡Eran castigos, [eran] sacrificios a los dioses! Y ahora mismo... [¡Ah, no quiero ni pensarlo!] ¿Qué están haciendo [ahora mismo] en tu Jefatura? *(Fuerte.)* ¿A qué dios espantoso estáis sacrificando?

DANIEL.—Mary, por favor...

MARY.—*(Exaltada, señala al libro.)* ¿Sabes lo que era el toro de bronce? Metían a un hombre dentro y encendían fuego debajo. El toro bramaba... ¿Y la doncella de bronce? Por fuera, la estatua de una novia... [Era una boda] atroz. El novio moría lentamente, atravesado por pinchos, en la oscuridad de aquella tumba de metal... Y las cosas odiosas, repugnantes, que les han hecho a las mujeres... [Pechos cortados, violaciones...] *(Él se levanta, tenso.)* ¡Es el mal por el mal, [la borrachera de la sangre,] el cobarde y sucio deseo de martirizar a seres indefensos!

DANIEL.—¡También en otros tiempos fue la sociedad entera! ¡También fueron todos culpables!

MARY.—¡Todos no! ¡Siempre hubo quienes lo condenaron! Y muchos, [muchísimos] que procuraron evitarlo. *(Dulce.)* Como tú... Cómplice a la fuerza, como yo he sido cómplice por ignorancia... Pero eso va a terminar, Daniel. [Tienes que abandonarlos.] ¡Mañana mismo pides la excedencia! Yo volveré a mi escuela entretanto; ya encontraremos otro medio de vivir. ¿Quieres? *(La luz creció en el lateral derecho.* EL DOCTOR VALMY *está sentado y dicta a su secretaria, sentada en la silla contigua. Mientras habla, Mary y Daniel permanecen absolutamente inmóviles, paralizados en sus gestos y actitudes.)*

DOCTOR.—¡Si se pudiera detener el tiempo! Lo necesario [para reflexionar,] para no arrepentirnos después de nuestro arrebato. En el seno de una pareja humana, la mentira es un gusano que pudre los lazos que la unen. Pero [quizá,] cuando ha roído demasiado, es ya peor descubrir la verdad. Como médico, yo le habría dicho [en aquel momento] a mi paciente: ¡No diga nada! Pero el ansia de confesar y de anegarse en la pobre ternura de su mujer le arrastraban como una marea poderosa. Porque el tiempo son nuestros impulsos; el tiempo somos nosotros y no es posible detenerlo.

SECRETARIA.—Y no es posible detenerlo. *(La luz decrece en el lateral hasta dejar en penumbra al doctor y su secretaria.)*

MARY.—*(Repite.)* ¿Quieres?

DANIEL.—*(Después de un momento, sin mirarla y muy nervioso.)* Fui a ver al doctor Valmy.

MARY.—¿Qué?

DANIEL.—[La víspera de mi permiso.] Encontró la causa de lo que me sucede.

MARY.—*(Temblando.)* Sigue.

DANIEL.—Es... una especie de autocastigo, [¿comprendes?]

MARY.—¿Por tu complicidad?

DANIEL.—Por algo más que eso.

MARY.—¿Por qué?

[DANIEL.—Quisiera... que lo hubieses adivinado ya.

MARY.—¡Habla!]

DANIEL.—[Tuve que ejecutar... algo atroz, Mary.] El marido de tu amiga no hablaba. Y Paulus me ordenó presionarle... de un modo espantoso.

MARY.—*(Horrorizada.)* ¿Tú?

DANIEL.—Sí.

MARY.—¿Tú también?

DANIEL.—Sí. *(Mary se apoya en el brazo del sillón, sin fuerzas.)*

MARY.—¿Qué le hiciste?

DANIEL.—Lo peor que se le puede hacer a un hombre.

MARY.—No entiendo.

DANIEL.—Imagina lo peor. Y [por hacerlo...,] algo dentro de mí me ha castigado... dejándome en el mismo estado en que yo lo dejé a él. O alguien... Porque hay otro hombre dentro de nosotros, que nos castiga. [Otro hombre.] *(Mirándolo con ojos empavorecidos, Mary gime sordamente. Después se sienta con dificultad en el sillón y cierra los ojos.)* Mary, soy despreciable. [He pensado mucho en estos días y tampoco a mí me valen ya las justificaciones.] Pero quiero decirte que estoy arrepentido. Asqueado de mí mismo, como tú no puedes imaginar. *(Da unos pasos hacia ella. Se apoya en el sillón. Musita.)* Ayúdame a ser ese otro hombre que hay dentro de mí. [Yo tampoco tengo otra cosa en el mundo que tú.] *(Se atreve a cogerle una mano. Mary está llorando.)*

MARY.—*(Débil, sin mirarlo.)* Deja la profesión.

DANIEL.—Lo intentaré, Mary. [Algo haré... para salir de este pozo.]

MARY.—Te espera una larga penitencia.

DANIEL.—*(Con enorme timidez.)* ¿Querrás vivirla a mi lado? *(Mary gime y oculta la cara en las manos. Comienza a oírse el tarareo de la abuela, que se acerca. Viene canturreando la canción del «Finus». Daniel se yergue, disimulando.* LA ABUELA *entra, los mira y va hacia el radiador.)*

ABUELA.—Danielín está empapado. Voy a cambiarle el pañal. *(Toma un pañal, que palpa. Mary eleva lentamente la cabeza.)* [He tenido que lavarlo y echarle talco.] De tanto pis tiene muy escocidas sus cositas. *(De pronto, Mary grita. Es un gemido prolongado, que crece hasta convertirse en un alarido estremecedor. Daniel corre a su lado. La abuela se detiene.)*

DANIEL.—¡Mary!

MARY.—¡También a los niños, Daniel! ¡A los niños!

DANIEL.—¡Mary, por favor!

ABUELA.—*(Avanza.)* ¿Qué le pasa?

MARY.—*(Convulsa.)* ¡Sacrificaban niños en la gehena! ¡Los quemaban vivos!

DANIEL.—*(La sujeta.)* ¡Mary!

MARY.—¡Mientras tocaban un gran tambor para ahogar sus gritos!

DANIEL.—¡Cálmate!

MARY.—*(Grita.)* ¡Ah! [¡Para ahogar sus gritos!] *(Grita otra vez, mientras su marido forcejea para incorporarla.)*

ABUELA.—*(Mientras la sujeta por el otro brazo.)* ¡Mary, hija!

MARY.—¡Cómo gritarían! ¡Cómo gritaría ese niño que desgajaron por las piernecitas, en un campo de concentración!

DANIEL.—¡Mary, Mary! *(Intenta en vano dominarla.)*

MARY.—¡Ante su madre!... *(Grita todavía una, otra vez. De pronto, se desvanece. Daniel la toma en brazos y sale aprisa con ella por la izquierda, al tiempo que suena, muy lejos, el Nocturno de Chopin. La abuela los ve salir, turbada. Después mira a su alrededor y ve el libro. Se acerca a la mesa mientras saca sus gafas y se las pone. Levanta el libro, lee la portada; lo abre y contempla algún grabado. Vuelve a cerrarlo y mira al vacío con ojos absortos. La secretaria sigue escribiendo. El doctor no se ha movido.)*

TELÓN

P A R T E   S E G U N D A

(«Twist» trepidante en el piano. El telón se alza sobre el escenario en penumbra. La luz crece en la oficina. DANIEL *sube por las escalerillas de la izquierda. Al ver que no hay nadie, titubea y se acerca a la puerta del foro para escuchar. Casi decidido a abrirla, se arrepiente. Al fin se sienta en el sofá y enciende, nervioso, un cigarrillo. Una pausa. El piano calla bruscamente y la puerta del foro se abre.* PAULUS *entra y cierra. Daniel se levanta.)*

PAULUS.—[¿Ya de vuelta?] *(Le da la mano.)* ¿Qué tal esa semana de descanso?

DANIEL.—*(Sonríe, inmutado.)* Corta.

PAULUS.—*(Ríe y va hacia la mesa, donde deja unos papeles.)* Pero nuevo como un reloj, ¿eh? Me alegro. *(Se sienta y examina papeles.)* ¿Tu madre sigue bien? ¿Tu mujer? ¿Tu chico?

DANIEL.—[Todos] muy bien. Gracias.

PAULUS.—Vienes a tiempo. [Volski aún no ha vuelto del sur y] hemos practicado nuevas detenciones. [Tuvimos una confidencia del exterior y ahora estamos cerca de la cabeza.] *(Daniel se acerca y apaga el cigarrillo en un cenicero.)* ¡Siéntate! *(Daniel lo hace.)* Nos vendría bien un éxito, ¿sabes? El percance con ese idiota de Marty sentó muy mal arriba. Pero...

(Busca entre las carpetas y toma una.) Lo mejor será que te leas esto. *(Se la da.)* [Estúdialo y vuelves esta noche.] *(Se levanta. Daniel lo imita.)* Fíjate [bien] en todo lo relacionado con un tal Gauss; ése será tu hombre.

DANIEL.—¿Está ya detenido?

PAULUS.—Claro. *(Lo toma con afecto por los brazos.)* Bueno, hijo. Aquí otra vez. ¿Quieres saludar a tus compañeros?

DANIEL.—A la noche los veré.

PAULUS.—*(Lo lleva a la salida.)* Ya sabes: a las once. Y bienvenido. *(Lo deja y va hacia el foro.)*

DANIEL.—*(Con dificultad.)* Señor Paulus. *(El comisario se vuelve instantáneamente y lo mira con frialdad; se diría que esperaba la llamada.)*

PAULUS.—Dime.

DANIEL.—[Señor Paulus, yo] quisiera pedirle un [gran] favor.

[PAULUS.—¿Y es?

DANIEL.—] *(Se acerca.)* Verá, [jefe... Apenas he descansado en estos días... y] me sigo encontrando bastante mal.

PAULUS.—Tu aspecto no es malo.

[DANIEL.—Estoy agotado.

PAULUS.—El doctor Clemens no te encontró nada especial...] ¿Cuál es el favor?

DANIEL.—Si pudiera concederme una licencia...

PAULUS.—¿Por cuánto tiempo?

DANIEL.—[En principio... ilimitada.] Hasta que me encontrase bien del todo. *(Un silencio. Paulus lo considera y va, lento, a sentarse a la mesa. Desde allí vuelve a mirarlo fijamente.)*

[PAULUS.—Siéntate. *(Daniel lo hace. Paulus mira su reloj y dedica una ojeada a la puerta del fondo.)* Hace seis meses Dalton estuvo enfermo, ¿te acuerdas? Cada cuatro horas tenía que bajar a que le inyectasen; de vez en cuando se tumbaba en ese sofá, vencido por la fiebre... Y no quiso dejar el trabajo.

DANIEL.—No pretendo compararme con nadie.]

PAULUS.—[¡Pero yo sí! Tú vales más que Dalton. ¿Qué te pasa? *(Un silencio.)*] Daniel, tienes una hoja de servicios excepcional y quizá el ascenso está cerca... No permitas que se propale lo que ya piensan algunos.

DANIEL.—¿El qué?

PAULUS.—Pues que el viejo se equivocó, que eres mi favorito sin merecerlo... [¡No consientas que te pisen el terreno!] ¡Demuéstrales quién eres! [Yo te entiendo, muchacho.] Estás pasando un momento de flaqueza. De eso nadie está libre, pero se sale adelante. [Agárrate a mi mano y te será más fácil.] *(Se levanta.)* Ea, no lo pienses más. Estúdiate eso y hasta la noche.

DANIEL.—*(Que se ha levantado también.)* Es usted muy bueno, señor Paulus. [Se lo agradezco muchísimo, créame.]

PAULUS.—*(Ríe.)* Sabía que no me ibas a decepcionar.

DANIEL.—De todos modos...

PAULUS.—¿Qué?

DANIEL.—Aunque sólo fuesen unos días más... ¡Mire mis manos!... Están temblando... [Quizá soy más débil de lo que usted cree.] *(Paulus vuelve a sentarse lentamente. Daniel permanece de pie.)*

PAULUS.—*(Sin mirarlo.)* En momentos más tranquilos podría concederte esa licencia. Ahora [sabes que] es imposible, [que] incluso tu semana de permiso [fue una debilidad, y] ya me la han criticado... Somos pocos para todo lo que hay que desarticular y aplastar. ¡Te necesito! [¿Insistes en tu petición?]

DANIEL.—Créame que no tengo otro remedio.

PAULUS.—*(Mira su reloj. Le mira.)* Bien. Hasta ahora te ha hablado el amigo. Ahora te habla el superior. Denegada la petición. Puedes retirarte.

DANIEL.—*(Después de un momento.)* No sé si podré resistirlo.

PAULUS.—*(Irritado.)* [Pero, ¿a qué viene esa terquedad?] *(Se levanta.)* [Te voy a hacer] una advertencia, muchacho. En momentos como éste, no resistir es simpatizar con el enemigo.

DANIEL.—¿Qué?

PAULUS.—[¡Lo que has oído!] *(Rodea la mesa y va a su lado.)* ¿Crees que no sé lo que te pasa? De repente, esos imbéciles te dan lástima. [Pero si estuvieran en nuestro puesto no serían menos duros.] Luego simpatizas con ellos.

DANIEL.—¡Usted sabe que no!

PAULUS.—¡Yo ya no sé nada, hijo! [De pronto, ves que son humanos. Eso no podría suceder si recordases cómo las gastan y el peligro que representan para todos.] Así que ten cuidado. No podemos amparar a los cansados [ni a los sospechosos de inconsecuencia,] porque entre ellos podrían nacer los traidores.

DANIEL.—¡No puede llevarlo a ese extremo! [¡Son cosas muy distintas!

PAULUS.—¿Sí? *(Pero le interrumpe la apertura de la puerta del foro.* LUIGI *y* MARSAN *entran en mangas de camisa.)*

LUIGI.—Perdone, jefe. Acaba de dar una dirección y hay que ir en seguida.

PAULUS.—¿No será otra mentira?

LUIGI.—Hay que comprobarlo.

PAULUS.—Llévese a Dalton. *(A Marsan.)* Y usted siga apretando. Ese miente mucho.

MARSAN.—Sí, jefe. Bienvenido, Barnes. *(Sale y cierra. Luigi ha descolgado entretanto su chaqueta y se la pone.)*

LUIGI.—Me alegra verte, muchacho. *(Le da la mano a Daniel.)* Hasta la noche, ¿no? *(Le da una palmada en el hombro y sale aprisa por la escalerilla de la izquierda. Paulus se pasa los dedos por los ojos, pensativo. Da unos pasos hacia el foro, se detiene y se vuelve.)*

PAULUS.—¿Qué haces aquí todavía?

DANIEL.—Le decía, señor Paulus, que] me ha entendido mal...

PAULUS.—Te entiendo muy bien y te he dicho que no te descuides. *(Se acerca y baja la voz.)* Nadie está libre de encontrarse un día entre los detenidos. [Y ya ves cómo tenemos que tratar a los detenidos...]

DANIEL.—*(Sobresaltado.)* ¿Es una amenaza?

PAULUS.—Al contrario: vuelvo a excederme en tu favor. No quisiera verte en el lugar de esos desdichados.

DANIEL.—No habría ningún motivo para verme en él, salvo el que ustedes quisieran inventarse.

[PAULUS.—¿Inventarnos?

DANIEL.—Entiéndame...]

PAULUS.—¿No reparas en que tu lenguaje se parece [extrañamente] al de ellos, cuando niegan? [Estoy enfermo, ustedes inventan...]

DANIEL.—¡No es el mismo caso!

PAULUS.—¿De veras? *(Va a sentarse.)* Entonces no tendrás inconveniente en explicarme por qué Lucila Marty estuvo en tu casa hace ocho días. *(Daniel retrocede un paso, mudo de asombro.)*

DANIEL.—[¿Está loco?... Ella...] es una antigua alumna de mi mujer...

PAULUS.—Ya lo sé.

DANIEL.—*(Se acerca a la mesa y deja la carpeta, inclinándose hacia el comisario.)* [Entonces, ¿de qué está hablando?] Ella quería interceder por su marido...

PAULUS.—Nada nos dijiste.

DANIEL.—¡Esto es ridículo! Si un policía no tiene la [razonable] seguridad de estar por encima de toda sospecha, nadie querrá serlo.

PAULUS.—Al contrario. Sólo cuando sabe que también él puede ser sospechoso cumplirá con el debido celo. *(Se levanta y va a su lado.)* [Tenlo muy en cuenta.] *(Coge la carpeta y se la tiende.)* [Y ahora toma la carpeta.] No has perdido mi confianza; sucede simplemente que vigilamos. *(Daniel coge la carpeta.)* Hasta la noche. *(Se encamina rápidamente al foro, abre la puerta y sale, cerrando.* EL DOCTOR VALMY *aparece por el lateral derecho. Un foco empieza a iluminarlo. Daniel se pasa la mano por la cara y se encamina a la escalerilla de la izquierda, por donde baja. La luz se extingue arriba.)*

DOCTOR.—Así, poco más o menos, debió de ser la entrevista. No me la contó ella; [lo supe, como otros detalles de la historia, más tarde.] Ella vino [días después] a contarme otras cosas. El caso es más frecuente de lo que el profano cree; un enfermo nos confía algo y luego vemos en nuestra consulta al otro protagonista de la historia. A veces, eso nos ayuda a curar. [Pero en esta ocasión, ¿qué podía hacer yo?] *(La luz creció en el lateral. Mary está sentada en el sillón. El doctor se acerca.)*

[MARY.—¿No le estoy cansando?

DOCTOR.—] *(Se sienta en la silla.)* [No tengo prisa.

MARY.—¡Pero usted] no le dirá a mi marido que vine a verle!

DOCTOR.—[Claro que] no.

MARY.—¿Qué puedo hacer, doctor?

DOCTOR.—Sus malestares pueden vencerse hasta cierto punto. Pero está atravesando una situación muy negativa. ¿Cuándo fue [exactamente] la primera vez que necesitó gritar?

MARY.—Cuando me confesó lo que había hecho.

DOCTOR.—[¿Fue] usted [quien] le animó a pedir la licencia?

MARY.—Le dije que pidiera la excedencia.

[DOCTOR.—¿Confiaba en que se la dieran?

MARY.—Quería creerlo.]

DOCTOR.—¿Fue después de saber el resultado cuando sintió las primeras náuseas?

MARY.—No. El día anterior.

[DOCTOR.—¿Les atribuye algún origen concreto?

MARY.—Sí.]

DOCTOR.—¿Piensa que se encuentra en estado?

MARY.—¡No! Claro que no. [¡Pero usted ya sabe lo que él ha hecho!

DOCTOR.—De modo que las relaciona con eso.

MARY.—¿Me equivoco?]

DOCTOR.—[No creo.] ¿Por qué no [me] sigue contando, señora Barnes?

MARY.—Aquella tarde [le esperé muy nerviosa.] Llegó casi a la hora de cenar, pero no quiso hacerlo... *(Se levanta.)* [Antes, su madre y yo habíamos hablado.] *(Crece la luz en la casa. Sobre la mesita, el florero está vacío. Mary va hacia la izquierda. [Se vuelve.)* Si es que a eso se le puede llamar hablar...] *(Sube el peldaño y empieza a pasear con impaciencia por la salita. El doctor queda en penumbra. Mary consulta su reloj.* LA ABUELA *entra por la izquierda, con su labor y dos pañales; va al radiador y los pone a secar. Mary la observa.)*

ABUELA.—Si no llego a lavar éstos nos quedamos sin pañales.

MARY.—¿Por qué los pone ahí? [Puede venir alguien...]

ABUELA.—*(No oye.)* El otro día se me cayó uno al patio y se quedó enganchado en la ventana de los del primero. Tuve que bajar a pedirlo. *(Enciende la pantalla y mira su labor.)* La casa parece un palacio. *(Se sienta a trabajar.)* No me pusieron [muy] buena cara... Me debían de estar diciendo que tuviese más cuidado, pero yo [no me enteré.] *(La mira.)* A veces no oigo, ¿sabes?

[MARY.—¡Abuela!

ABUELA.—¿Eh?

MARY.—*(Señala a los pañales y eleva la voz.)* ¿Por qué no pone los pañales en otro radiador?

ABUELA.—*(Que, en su típico gesto de sorda, abrió la boca para oírla.)* ¿Otro radiador?

MARY.—¡Sí!

ABUELA.—Éste es el más fuerte y los seca antes.] *(Cuenta en voz baja los puntos. Mary sigue paseando.)*

MARY.—Daniel tarda. *(Mira a la abuela, que sigue en su trabajo.)*

ABUELA.—*(Canturrea.)*

Una tabletas Finus tomará
y a reírse del dolor aprenderá.
[El mundo es feliz porque Finus llegó
como un hada y su dicha le dio.]
¡Finus!

(Entretanto, Mary se ha acercado a los pañales y los palpa. Su cara se contrae; se vuelve hacia el proscenio y mira fijamente al vacío. Cuando la abuela va a terminar su canturreo, Mary siente náuseas. La abuela la mira. Mary se vuelve hacia el radiador y se encoge. La abuela deja su labor y se levanta.) ¿Otra vez? *(Va a su lado.)* ¿Te traigo algo?

MARY.—No. Gracias. *(Se separa y va al sillón del teléfono, donde se sienta sin fuerzas. Intrigada, la abuela va tras ella lentamente.)*

ABUELA.—¿Vas a tener otro hijo?

MARY.—*(La mira sobresaltada.)* ¡No!

ABUELA.—¡Hum!... Pues vendría bien, mujer. La parejita... Una nena. [*(Mary desvía la vista y deniega.)* ¿Se lo has dicho a Daniel?

MARY.—¿El qué?

ABUELA.—¿Eh?... Lo de tus mareíllos.]

MARY.—*(Se levanta, crispada.)* ¡No voy a tener ningún niño! ¡Ninguno más! *(La abuela suspira y va al sofá para tomar su labor. Mary vuelve a pasear, nerviosa.)*

ABUELA.—*(Se sienta.)* [No paras.] *(Mary la mira y va a sentarse a su lado. La abuela cuenta en voz baja los puntos.)*

MARY.—¡Abuela, [quizá vamos a tener novedades!

ABUELA.—¿Novedades?

MARY.—¡No las que usted cree! ¡Pero] quizá Daniel abandone su carrera!

ABUELA.—¿Cómo has dicho?

MARY.—[¡Que Daniel quiere dejar su carrera!] *(Le habla muy cerca del oído.)* ¡Esta [misma] tarde lo iba a pedir! *(Le pone una mano en el hombro.)* [¿Le gustaría?] ¡Yo volvería a mi escuela y él buscaría otro trabajo!

ABUELA.—¿Va a dejar su carrera?

[MARY.—*(Asiente con vehemencia.)* ¡Sí! *(Un silencio.)*

ABUELA.—No le estarás tú metiendo esas ideas en la cabeza, ¿verdad?]

MARY.—¡Debe usted comprenderlo! ¡Está enfermo porque no lo resiste! *(La abuela la mira con ojos cada vez más angustiados.)* [¡Hay que evitar que a Danielito le pase lo mismo!

ABUELA.—¿Danielito?

MARY.—¡Danielito no debe ser lo que su padre! ¡Entre las dos debemos salvarlos!] ¡Daniel me ha prometido que lo deja! ¡Dios lo quiera!

ABUELA.—No te oigo bien...

MARY.—¡Allí se cometen cosas horribles, abuela! *(La abuela desvía la mirada, sin reanudar su labor.)* ¡Perdóneme! [¡Es que estoy tan sola!] ¡Pero [usted sabe, abuela,] yo sé que usted sabe! Usted conoce al comisario Paulus desde que era joven... *(Un silencio.)* ¿O [no lo sabía?...] ¿Le pasaba lo que a mí, que no sabía? *(Un silencio.)* O [quizá] no se atrevía a creerlo... Pero usted lo ayudó a caer en esa trampa y debe ayudarle a salir de ella. *(La abuela tiene los ojos húmedos.)* ¡Es muy triste, lo comprendo! ¡Ver al hijo así, y al final de la vida!... ¡Yo la quiero, abuela! *(La abraza.)* [¡Nos ayudaremos las dos! ¡Para que se salve Danielito, al menos!...] Pero [ayúdeme.] Ayúdenos.

ABUELA.—*(Sin mirarla, deniega.)* No te oigo... nada. No... te oigo.

MARY.—*(La mira, sin esperanza. Musita):* ¡Dios mío! *(Se levanta y va al sillón, donde se apoya. Se vuelve a mirarla. La abuela no se ha movido y ahora recoge muy lentamente su labor para reanudarla con dificultad. Mary levanta la cabeza: ha oído algo.)* ¡Ahí está! (DANIEL *aparece en el foro con la carpeta.)*

DANIEL.—*(Se acerca a su madre y la besa.)* Hola, mamá.

ABUELA.—Hola, hijo. *(Sigue con su labor.)*

DANIEL.—Hola, Mary. *(Cruza hacia la librería evitando su mirada y deja sobre ella la carpeta. Mete la mano en el pecho para sacar la pistola, pero tropieza con los ojos de Mary y, desviando los suyos, se aleja de la librería sin sacar el arma. Mary le ve llegar a la silla del primer término izquierdo, donde se sienta. Entonces da unos pasos hacia él. Él advierte que quiere hablarle y la corta.)* Dame una copa. ¿Quieres?

MARY.—¿No estás bebiendo mucho estos días? *(Va hacia la librería.)*

DANIEL.—Descuida. No me excedo. *(Mary abre el armarito. Mientras sirve la copa, observa insistentemente la carpeta. Él lo advierte.)* ¿No me acompañas?

MARY.—*(Esperanzada.)* ¿Hay motivo? *(Él sonríe y emite un gruñido. Ella cierra el armarito y le lleva la copa.)*

DANIEL.—[Gracias.] *(Bebe.)*

[MARY.—¿Qué ha pasado?]

DANIEL.—Buenas impresiones. [Luego hablaremos.]

MARY.—¿Vamos adentro?

[DANIEL.—Estamos bien aquí.

MARY.—] Como está tu madre...

DANIEL.—No tiene el aparato. [No oye.]

MARY.—Pero nos ve.

DANIEL.—*(Se levanta y da unos pasos.)* Está rico este vino. ¿De verdad no quieres? *(Daniel va al armarito y lo abre.)*

MARY.—*(Levanta la voz.)* [¿Qué ha pasado, Daniel?]

DANIEL.—[Ya te lo he dicho.] *(Empieza a servirse otra copa.)*

MARY.—[No me has dicho nada.] ¿Te han dado la licencia?

DANIEL.—Creo que la conseguiré. *(Cierra el armario y se apoya en la librería para beber.)*

MARY.—*(Da unos pasos hacia él.)* ¡Me estás engañando!

[DANIEL.—Mary, estas cosas no se logran en un minuto...

MARY.—] *(Se retuerce las manos.)* [¡Te la han negado!]

DANIEL.—¡Es cosa de unos días! *(Deja la copa sobre la estantería.)*

MARY.—*(Desesperada.)* ¡Dios mío, ayúdanos! *(Se enfrenta con la abuela.)* ¡Ayúdeme, abuela! *(La abuela los mira un instante.)*

DANIEL.—*(Da un paso hacia ella.)* ¡A ella no la metas en esto! *(Mary procura dominarse. Se vuelve y se aleja.)*

MARY.—¿Tienes que volver esta noche?

DANIEL.—Sí. *(Mary se sienta, sombría, en el sillón del teléfono. Daniel recoge su copa y vuelve a la silla de la izquierda, donde se sienta de nuevo.)*

[MARY.—¿Hay nuevos detenidos? *(La abuela los mira.)*

DANIEL.—No. *(Un silencio.)*]

MARY.—[¿Tampoco ahora me mientes? *(Un silencio.)*] Estamos perdidos.

DANIEL.—*(Sombrío y sin mirarla, juega con la copa.)* Mary... ¿te resignarías a vivir a mi lado como una hermana?

MARY.—*(Lo mira, descompuesta.)* Perdidos. *(Un silencio. Daniel suspira hondamente. La abuela, que se volvió a concentrar en su labor, rompe a hablar.)*

ABUELA.—¿También te ha dado hoy sus recuerdos el señor Paulus?

DANIEL.—[¿Eh?] *(Los esposos se miran.)* ¡Sí, mamá!

ABUELA.—*(Vuelve a su labor.)* Es curioso que no nos

hayamos visto desde entonces. Antes era muy asiduo. [Tú aún te acordarás...]

DANIEL.—*(Se levanta.)* Sí, mamá. *(Va a sentarse a su lado, mientras ella sigue hablando.)*

ABUELA.—Y [cuando murió tu padre] se portó admirablemente. Era lo menos que podía hacer, porque antes no se había portado muy bien.

DANIEL.—¿No?

ABUELA.—¿Eh?... No nos perdonó que nos casáramos. Él me pretendía y se llevó un disgusto enorme. [Hasta habló de vengarse. Porque entonces era muy brusco, muy agrio...] Luego entró en la policía y no le volvimos a ver [en mucho tiempo.] Pero cuando tu padre murió empezó a volver por casa. [De casarse ya no hablaba, pero] yo era todavía hermosa. Ya lo creo. [Yo he sido hermosa, hijo... Muy hermosa. Se fue cansando, claro. Porque] no lograba nada. Pero cada vez me apremiaba más y un día tuve que despedirlo... Conque pasan muchos años, y viene a decirme que te podía ayudar a entrar en la Seguridad Nacional... Bueno, yo me había estropeado mucho. [Estaba claro que] ya no le importaba, y en aquellos años no nos iba nada bien... De modo que decidí aceptar el favor. *(Larga pausa. Mary no ha perdido palabra.)* A lo mejor te hubiera gustado ser otra cosa, hijo... [Aún eres joven.] Tú haz siempre lo que quieras. Lo que hace falta es que seas feliz. *(Daniel le oprime una mano con afecto. Repasando su labor, su madre se levanta.)* Voy a ver a Danielito, no vaya a haber cogido una mala postura. *(Se dirige a la izquierda y se detiene.)* [Hoy no has entrado a verlo.] ¿Vienes?

DANIEL.—*(Se levanta.)* Sí, mamá. *(Con una furtiva ojeada a su mujer va a recoger la carpeta y se reúne con su madre. Mary se levanta, mirándolos.)*

ABUELA.—A lo mejor le traéis pronto una hermanita, ¿eh? *(Los esposos evitan mirarse, turbados. Daniel sorbe la copa que lleva y enlaza amorosamente a su madre.)* ¡Hijo mío!... *(Salen los dos. Mary se deja caer en el sillón, absorta. Un foco la ilumina; la habitación vuelve a la penumbra y la lámpara se apaga. El doctor se levanta y se acerca.)*

[DOCTOR.—¿Le gustaría tener otro hijo, señora?

MARY.—¡No, no!

DOCTOR.—¿Está segura?

MARY.—*(Que sigue sin mirarlo, abstraída.)* Ahora, ¿cómo tener otro hijo?

DOCTOR.—¿Lo dice por el estado de su marido?

MARY.—Quiero decir que... ya nunca me atrevería a traer a otro hijo al mundo. No me lo perdonaría.]

DOCTOR.—¿Cuáles son los sentimientos que hoy le inspira su marido?

MARY.—No lo sé... A veces me parece un extraño... Otras me siento llena de rencor. [Es muy raro, pero hay momentos en que... *(Vacila.)*

DOCTOR.—¿Qué?

MARY.—Me dan ganas de reírme de él.]

DOCTOR.—¿Siguen intentando el cumplimiento del matrimonio?

MARY.—¡No!

[DOCTOR.—¿No quiere usted o no quiere él?

MARY.—] Él ya no lo insinúa y yo lo prefiero así.

[DOCTOR.—Así, pues, ¿él le causa repulsión ahora?

MARY.—*(Impaciente.)* ¡Es difícil contestar! Yo... le he querido ciegamente. Ahora duermo muy poco; él duerme bien, porque bebe. Alguna noche, viéndole dormir junto a mí, he pensado: No ha pasado nada. Le adoro... Y me dan unas ganas enormes de despertarlo y de besarlo.

DOCTOR.—¿Lo ha llegado a hacer?

MARY.—Una noche... lo desperté. Pero me aparté inmediatamente y corrí a ver al niño. Le dije que me había parecido oírle llorar.]

DOCTOR.—*(Después de un momento.)* ¿Sueña usted ahora mucho?

MARY.—Pesadillas.

DOCTOR.—¿Recuerda alguna?

MARY.—Sí.

DOCTOR.—¿Quiere contármela?

MARY.—Déjeme recordar... Sí; yo estaba en casa, [sentada en un sillón...] *(Una luz extraña ilumina la habitación. El doctor se retira discretamente a la penumbra de la derecha y vuelve a sentarse en la silla.)* Mi suegra entró con el niño. Pero ya no era un niño... *(Por la izquierda entra* LA ABUELA *empujando la cuna y la deja cerca del teléfono. Mary habla a la abuela.)* ¡Aquí hace frío!

ABUELA.—Voy a ver la televisión y no quiero que se despierte.

MARY.—*(Se levanta.)* ¡Se puede constipar!

ABUELA.—Le das una tableta. *(Y sale canturreando.)*

Una tableta Finus tomará
y a reírse del dolor aprenderá...

MARY.—*(Se acerca a la cuna y se inclina.)* ¡Danielita! [¡Si es] mi nena querida! *(Arregla la ropa.)* Así. Bien tapadita. Duerme, [nenita], duerme... (DANIEL *entra por el foro con un libro en la mano. No parece verla. Ella se incorpora.)* [Hola.] *(Sin contestar él va a la librería, mete la mano en la pistolera del pecho y saca unas grandes tijeras,* [*que deja allí. Luego va a sentarse al sillón del teléfono y hojea el libro. Ella se acerca.)* ¡Danielita se va a enfriar!

DANIEL.—*(Sin mirarla.)* Dame las tijeras. *(Mary va a la librería y las coge.)*]

MARY.—¿Para qué las has comprado? [*(Se las lleva.)*]

[DANIEL.—*(Las toma y las abre.)* Para abrir el libro. *(Finge que lo hace.)*

MARY.—¡Si ya está abierto!]

DANIEL.—*(Sonríe.)* [Las he comprado] para cortarle el pelo a la niña [cuando sea mayor].

MARY.—¿Quieres que encienda? No verás bien.

[DANIEL.—Sí, por favor. *(Lee.*] *Mary se acerca a la lámpara y tira del cordoncillo. La lámpara se enciende.*

Presa de la corriente eléctrica, Mary se retuerce y grita sin poder soltar el cordoncillo.)

MARY.—¡Daniel, que me abraso!... [¡Por piedad!... *(Daniel sigue leyendo.)* [¡Daniel!] *(Él se vuelve a mirarla.)* [¡Apaga esa luz! ¡Pronto!] *(Daniel se levanta, calmoso, y va a su lado.)*

DANIEL.—Habrá que cortar los dedos.

MARY.—¿Qué vas a hacer?

DANIEL.—Si no duele. *(Corta y ella grita. La lámpara se apaga.)* No sale sangre.

MARY.—*(Se mira los dedos.)* [No.] *(Mirándolo con los ojos muy abiertos, retrocede. El extiende la mano con las tijeras empuñadas.)*

DANIEL.—Toma. Debes guardarlas tú.

MARY.—¡No! *(Daniel avanza. Ella se escurre, rápida.)*

DANIEL.—Si te mueves no podré dártelas. *(Le asesta una puñalada, que falla.)*

MARY.—*(Gime y se aparta.)* ¡Piedad!

DANIEL.—Ven.

MARY.—*(Se abalanza hacia él con los brazos extendidos.)* ¡Hiere! ¡Atraviésame [si quieres!] *(Daniel sonríe, [va al radiador y toma los pañales. Luego] se dirige a la cuna.)*

[DANIEL.—Los va a necesitar.] *(Levanta el embozo de la cuna y abre las tijeras.)*

MARY.—*(Corre a su lado para sujetarlo.)* ¡No! ¡A él no!

DANIEL.—Tú quieres una niña...

MARY.—*(Corre a la izquierda y llama.)* ¡Abuela! (LA ABUELA *entra en el acto.)*

DANIEL.—Enciende, mamá. No veo bien.

ABUELA.—*(Mientras va a la lámpara.)* Haz lo que quieras, hijo.

MARY.—¡No toque la lámpara! *(La abuela enciende tranquilamente y se vuelve.)*

[ABUELA.—¿Ves ya?]

DANIEL.—Dentro hay más luz. *(Empuja la cuna. La abuela camina a su lado.)* Tranquilo, Danielito. Tú duerme tranquilo.

ABUELA.—Te daremos una tableta. *(Canturrea mientras desaparecen los dos por la izquierda con la cuna.)*

El mundo es feliz porque Finus llegó
como un hada, y su dicha le dio...

(La lámpara se apaga y la luz se extingue, mientras crece a la derecha del escenario. Mary va a sentarse en el sillón junto al doctor. Una pausa.)

DOCTOR.—¿Ha tenido otros sueños parecidos?

MARY.—Muchas otras noches.

[DOCTOR.—¿Piensa a menudo en ellos?

MARY.—Casi no puedo pensar en otra cosa.]

DOCTOR.—¿Era la historia de la tortura lo que él leía en el sueño?

MARY.—No.

DOCTOR.—¿Ha repasado usted ese libro en estos días?

MARY.—Ha desaparecido.

[DOCTOR.—¿Cómo?

MARY.—Mi marido lo leyó procurando que yo no me diera cuenta. Después no lo he vuelto a ver.

DOCTOR.—¿Quizá lo ha destruido?

MARY.—*(Deniega, dudosa.)* Me ha parecido que él lo buscaba alguna vez, sin encontrarlo. Ni él ni yo hemos vuelto a hablar del libro.]

DOCTOR.—Entonces no sabe qué libro leía su marido en el sueño.

MARY.—Sí lo sé.

[DOCTOR.—¡Ah! ¿Lo sabe?

MARY.—] Uno de los que ha comprado últimamente. Un libro de psiquiatría.

DOCTOR.—*(Pensativo.)* Ya.

MARY.—¿Qué me aconseja, doctor?

DOCTOR.—Me gustaría preguntarle si usted ha pensado en alguna solución.

MARY.—He pensado tantas cosas... Separarnos quizá por algún tiempo... Volver a mi escuela...

DOCTOR.—Celebro que haya pensado en eso. Una separación y el contacto con otros niños podrían serle saludables. [Si usted me autoriza yo mismo hablaré a su marido para facilitarlo.]

MARY.—No [me ha entendido...] Pienso [todas] esas cosas, pero [ninguna de ellas me ilusiona]. Me encuentro incapaz del menor esfuerzo y siento [una infinita desgana], una gran indiferencia... por todo.

DOCTOR.—¿También por su hijo?

MARY.—*(Llora.)* [¡Pobre hijo mío!] ¡Ojalá él me perdone algún día el haberle traído a este mundo espantoso!

DOCTOR.—Ya ve como hay algo que todavía le ilusiona. Pues bien: desprecie su propio dolor y luche por su hijo. [Si lo hace, señora Barnes, ¡se lo aseguro!, él le traerá el olvido.]

MARY.—No, doctor. Tampoco [el niño].

DOCTOR.—¿Qué quiere decir?

MARY.—¡Es horrible! A veces... creo que ya no quiero a mi hijo.

DOCTOR.—¿Qué?

MARY.—[¡No, porque es suyo!] En su carita veo ya la cara de su padre. Y es la [cara] de un verdugo.

DOCTOR.—[Debe reaccionar contra esos pensamientos malsanos.] ¡Esas cosas no se transmiten por la sangre!

MARY.—*(Desesperada.)* ¡Lo sé! ¡Ya lo sé!

DOCTOR.—Su hijo [es inocente. Y] tiene una madre que puede evitar el que mañana se convierta en un verdugo...

MARY.—¿Para que se convierta en una víctima?

DOCTOR.—[Ayúdese a sí misma, se lo ruego.] En este mundo hay algo más que víctimas y verdugos.

MARY.—Mi marido también tiene una madre... que debió evitarlo. ¿Por qué voy a ser yo mejor madre que ella? [Yo creí que] la vida [era una cosa espléndida y] es una trampa que nos coge siempre. ¡Nunca debiéramos transmitirla!

DOCTOR.—La vida puede ser espléndida, créame. ¡Súmese al ejército de los que lo intentan! [Es más numeroso de lo que se supone.] ¡Usted ha venido a verme!... Eso significa que aún confía y espera.

MARY.—No. Es como el que se vuelve a un padre y grita, porque se está ahogando... Pero el padre me dice desde la orilla [que nade,] que debo nadar..., y yo ya no tengo fuerzas. *(Lo mira con ojos de animal desvalido. El doctor suspira y saca su libro de recetas, en el que comienza a escribir.)*

DOCTOR.—[Debe tener paciencia, señora.] Por el momento va a ir tomando esto. Es muy eficaz, ya lo verá. Y vuelva [la próxima semana. O] en cuanto quiera hablar conmigo. *(Le da la receta.)*

MARY.—Gracias. *(La guarda y se levanta.)*

DOCTOR.—*(Se levanta y le oprime la mano.)* Señora Barnes... Valor.

MARY.—*(Va al lateral derecho. Se vuelve.)* Buenas tardes.

DOCTOR.—[Hasta pronto, señora.] *(Mary sale. La* SECRETARIA *reaparece con lápiz y cuaderno.)* [¿Qué podía yo hacer?] Cuando me incliné para extender la vulgar receta que tantas veces oculta nuestro embarazo, pensaba que era el mundo quien estaba enfermo y que yo no podía curar al mundo. Pero entretanto ella se iba hundiendo en aquel mar de que hablaba, acosada por sueños atroces que la arrastraban hacia el fondo... He podido reconstruir lo que sucedió tras su visita, pero fue última visita. [Partió] y no la volví a ver. *(El primer término entero se ilumina. El doctor y la secretaria salen por la derecha. Una pausa. Mary, con abrigo, entra por la derecha y cruza. Cuando está cerca del lateral izquierdo entra por él* LUCILA MARTY, *de luto, y pasa a su lado sin mirarla. Mary se detiene, se vuelve y la ve marchar.)*

MARY.—¡Lucila! *(Lucila se detiene sin volverse ni mostrar sorpresa. Mary se le acerca pero no osa hablar.)*

LUCILA.—*(Se vuelve a medias, sin mirarla.)* ¿Qué quiere?

MARY.—[Tú me dijiste la verdad y te llamé embustera.] Perdóname.

LUCILA.—No se resuelve nada pidiendo perdón. Él ya no puede resucitar.

MARY.—*(Asombrada.)* ¿Ha... muerto?

LUCILA.—*(La mira con aviesa sonrisa.)* ¿No se lo ha dicho su marido? Parece que le falló el corazón... en la Jefatura.

MARY.—Yo... no sabía...

LUCILA.—No me sorprende. Buenas tardes. *(Va a irse. Mary la sujeta.)*

MARY.—[¡No quiero que te vayas así! Yo no puedo hacer nada, nada, pero...] te suplico que me perdones por lo que mi marido le ha hecho al tuyo.

LUCILA.—*(Sublevada.)* ¿Quiere que le perdone a él?

MARY.—No, porque yo tampoco puedo perdonarlo. A mi modo, también me he quedado sin marido, Lucila... Ahora, sufrimos juntas.

LUCILA.—¡Juntas, no! Mi sufrimiento es mío [y usted no tiene derecho a compartirlo. Usted no ha pasado por la Jefatura, como yo, y nunca pasará.] A usted no le han torturado al marido; es él quien tortura. *(Muestra sus ropas.)* Usted nunca entenderá [lo que es] este luto.

MARY.—Procuraré entenderlo, Lucila... Te lo prometo. *(Lucila va a irse.)* ¡Por piedad! Déjame ser tu amiga. [Aprenderé a sufrir a tu lado.] Nos consolaremos..., si podemos. ¡Lucila! ¡Hija mía! *(Solloza.)*

LUCILA.—No llore. Yo ya no tengo lágrimas y las suyas me van a dar risa. [Esto ya no tiene remedio, señora maestra.] Adiós. *(Se encamina a la derecha.)*

MARY.—Fuiste tú quien me mandó el libro, ¿verdad? *(Lucila se detiene y no contesta.)* ¿Fuiste tú?

LUCILA.—No sé de qué me habla.

MARY.—Gracias por el libro, Lucila. *(Lucila escucha a medio volverse estas palabras y luego sale por la derecha. Mary da unos pasos lentos tras ella y se queda mirando cómo se aleja. Por la izquierda entra* DANIEL, *con gabardina y sombrero, y se sitúa tras el banco sin perderla de vista. Mary se vuelve para seguir su camino y al verlo se detiene, asombrada. Luego avanza despacio hasta llegar junto al banco.)*

DANIEL.—¿Qué hablabas con esa mujer?

MARY.—Puedes figurártelo.

DANIEL.—Te dije que no debías volver a verla. Que es peligroso.

MARY.—¡Qué importa ya! *(Se sienta en el banco y baja la cabeza.)*

DANIEL.—¿Por qué has ido a ver al doctor Valmy?

MARY.—¿Te dedicas a seguirme?

DANIEL.—Sí.

MARY.—*(Ella lo mira y comprende.)* ¿Será posible? *(Ríe.)* Tienes celos.

DANIEL.—*(Se sienta por el otro lado del banco.)* Trata de comprenderme.

MARY.—¡Es ridículo! ¿Qué importancia puede tener todavía para ti el haber dejado de ser hombre?

DANIEL.—¡Es que te quiero, Mary!

MARY.—Palabras muertas.

DANIEL.—¡No, mientras estemos vivos! Yo encontraré la salida de este túnel; te lo he prometido. [Escucha: sé que] hay vacantes en el servicio exterior. Si pido un puesto fuera, Paulus me lo dará, [estoy seguro.] Y en el extranjero dimitiré. Entonces no podrán impedírmelo. [¡Te juro que lo haré!] Hay un perdón en algún lado para mí. [Tengo que buscarlo y merecerlo.] ¡Dame tú el tuyo, aunque todavía no lo merezca!

MARY.—¿Cómo podría? ¿Cómo podría siquiera esa

niña viuda? ¡Y él ya no puede dártelo, porque lo matásteis! *(Daniel baja la cabeza.)*

DANIEL.—No quise decírtelo para no hacerte sufrir más.

MARY.—Esas palabras también están vacías.

DANIEL.—¡No, Mary!

MARY.—¿Y toda esa pobre carne que habrá pasado por esas manos tuyas durante años [enteros?] De eso no hablas. [Hablas de si yo puedo sufrir más o menos.] ¡Dan ganas de reír! Yo siento el dolor de esa carne a todas horas. Por eso he ido a ver al doctor Valmy. No puedo pensar en otra cosa.

DANIEL.—Tampoco yo, [Mary.]

MARY.—Sobre todo, por las noches. *(La oficina se va iluminando.)*

DANIEL.—¿Por las noches?

MARY.—Por las noches yo trato de imaginar a quién podrás tener [en ese momento] entre tus uñas. [Y me figuro que soy yo misma...] Pero tú no imaginas nada. [Tú lo haces. ¡Porque has tenido que volver todas esas noches a cumplir tu oficio de carnicero!] Dime: ¿qué sientes cuando les haces gritar?

DANIEL.—Para salir de esto es forzoso volver...

MARY.—¿Sientes que es tu propia carne la que grita?

DANIEL.—*(Mira a todos lados.)* ¡Baja la voz! ¡Pasa gente!

MARY.—¿Y qué?

DANIEL.—*(Con los ojos fijos en el lateral izquierdo.)* No te muevas. Mira con disimulo a aquél.

MARY.—No veo a nadie.

DANIEL.—Acaba de doblar por el paseo central. Yo diría que era Marsan. *(Ella suspira, desolada. El comisario* PAULUS *entra en la oficina por la puerta del foro y queda de pie ante la mesa, a plena luz, con los brazos cruzados y el aire ausente.)* Tenemos que irnos del país.

MARY.—Donde vayamos nos estará esperando otro

comisario Paulus. *(Se oye, muy lejos, el Nocturno de Chopin. Mary acaricia disimuladamente el borde del banco. Daniel se atreve a poner una mano sobre la de ella. Mary rompe a llorar. Una pausa.)*

DANIEL.—Sí, Mary. Fue aquí. Y entonces también llorabas. No he logrado enjugar aquellas lágrimas; todo ha sido una gran mentira. Pero aquello, al menos, fue verdad... Aquello fue verdad.

MARY.—*(Se levanta.)* Vámonos. *(Se encamina al lateral. Él la sigue. Ella se vuelve y mira al banco. Él lo mira también. Salen los dos. El Comisario continúa, inmóvil e iluminado, en la oficina. A la derecha, la luz vuelve a iluminar al doctor y a su secretaria. El piano sigue sonando.)*

DOCTOR.—*(Dicta.)* El lector sabe ya que los pacientes de mi primera historia eran vecinos de la casa donde vivía el matrimonio; gentes en buena posición, sin hijos, que vinieron a consultarme sobre el cuadro de síntomas que denunciaba el hastío de su vida: insomnio, [falta de apetito,] ansiedades difusas, cansancio mutuo... Ellos mismos sugirieron una estancia [temporal] en el sanatorio y yo accedí... [Pensé que] tal vez un cambio de vida les resultase saludable...

SECRETARIA.—Saludable.

DOCTOR.—Pero, a esta altura del relato, me pregunto si alguno de los que me lean no ignorará la primera historia. Pues yo mismo, a menudo, comienzo la lectura de un libro por la parte que más me atrae y no por el principio. Debo por ello recordar que la presente historia no es [totalmente] inteligible, [en mi opinión,] sin relacionarla con la anterior y que tal vez [en el fondo] forman una sola... Ahora puedo ya contar lo que resta de nuestro caso. [Mi cliente decidió hablar por segunda vez con su jefe y ese fue] el principio del fin. *(La penumbra vuelve al primer término. El banco y la consulta quedan en sombra. El doctor y la secretaria salen. El comi-*

sario Paulus se vuelve hacia la izquierda y aguarda. El piano calla bruscamente. Por los peldaños de la izquierda sube DANIEL *y se quita el sombrero.)*

PAULUS.—¿Querías hablarme?

DANIEL.—Si me pudiese dedicar unos minutos...

PAULUS.—Siéntate. *(Daniel deja el sombrero en la percha, se acerca a la silla* [*y aguarda.)* ¡Siéntate! Yo estoy harto de silla.] ¿Qué quieres?

DANIEL.—Me gustaría pedirle... [un gran favor]. *(Se sienta.)*

PAULUS.—¿La licencia?

DANIEL.—*(Ríe.)* ¡No, no! Aquello pasó. [Usted vio claro:] fue uno de esos momentos de flaqueza que cualquiera puede sufrir. [Ahora me encuentro otra vez en forma.] *(Trivial.)* Y no creo que tenga queja de mi comportamiento en estos días.

PAULUS.—En efecto. [Has trabajado muy bien.] *(Pasea.)*

[DANIEL.—*(Risueño.)* ¿Tengo su confianza, jefe?

PAULUS.—*(Risueño.)* Siempre la has tenido.]

DANIEL.—De otro modo no me atrevería a explicarle mi deseo.

PAULUS.—¿Cuál es?

DANIEL.—Verá... Estoy inquieto por mi mujer. Ella ignoraba muchas cosas y ahora que... las ha entrevisto se encuentra desasosegada, nerviosa... Enferma. No se le puede pedir de repente [una] comprensión [para la que necesitaría prepararse mucho.]

PAULUS.—Evidente.

DANIEL.—Es cosa mía tranquilizarla y creo que lo conseguiré. Pero no aquí... Convendría [llevarla a otro ambiente,] darle la sensación de que los dos estamos lejos de lo que le preocupa... He pensado que yo podría trabajar [eficazmente] en el servicio exterior. [Si estuviera solo no lo pediría, pero tengo un hogar y quisiera cuidarlo.] ¿Quiere ayudarme una vez más, jefe? No importa el país. Donde yo pueda ser más útil.

PAULUS.—*(Que lo miraba fijamente.)* Es aquí donde puedes ser más útil, hijo mío.

DANIEL.—Con una mujer intranquila a mis espaldas quizá no rinda bien, señor Paulus.

PAULUS.—Lo has hecho muy bien estos días.

DANIEL.—*(Nervioso.)* Aun así...

PAULUS.—[Te lo diré de otro modo.] Ese traslado causaría [extrañeza, y quién sabe si] sospechas. Y no te conviene levantarlas ahora, ni a mí proponer una cosa tan extemporánea.

DANIEL.—¿Y si yo presento directamente la instancia?

PAULUS.—Tendría que informarla yo y no pienso hacerlo favorablemente.

DANIEL.—*(Descompuesto.)* ¿Por qué?

PAULUS.—*(Va a sus espaldas y le pone las manos en los hombros.)* No es por tu mujer, ¿verdad?

DANIEL.—Ya le he explicado...

PAULUS.—[Digamos que es por los dos.] *(Se incorpora y va a la mesa.)* [Bien.] Traías preparada una bonita comedia, pero ya sabes mi respuesta. Hasta la noche. *(Se sienta y repasa unos papeles. Larga pausa. De pronto, alguien grita tras la puerta del fondo. Es un gemido ahogado que apenas se oye. Paulus no se inmuta. Daniel se estremece.)*

[DANIEL.—Yo no volveré esta noche.

PAULUS.—¿Qué dices?]

DANIEL.—¡Yo no volveré a torturar! *(Paulus deja los papeles sobre la mesa con un brusco golpe.)* Tendrá que mandarme afuera si no quiere retirarme su protección. Si prefiere considerarme un desertor, mándeme a la cárcel.

PAULUS.—¿A ese extremo has llegado?

DANIEL.—¡Sí!

PAULUS.—¿Por tu trabajo?

DANIEL.—¡No le llame trabajo!

PAULUS.—¿Qué es entonces?

DANIEL.—Un crimen.

PAULUS.—*(Mira a la puerta del fondo.)* Afortunadamente, estamos solos. Haré todavía un esfuerzo a tu favor. Y ahora escucha, imbécil: yo no he inventado la tortura. Cuando tú y yo vinimos al mundo ya estaba ahí. Como el dolor y como la muerte. Puede que sea una salvajada, pero es que estamos en la selva.

DANIEL.—¿Contra seres humanos?

PAULUS.—¡Cuánta preocupación por el ser humano! Tú los has visto aquí: la mayoría no vale nada. Y no hay en la historia un solo adelanto que no se haya conseguido a costa de innumerables crímenes. *(Se oye un grito. Ambos miran la puerta.)*

DANIEL.—¿Quiere decir de innumerables mártires?

PAULUS.—¡Qué tontería! Todas las empresas han tenido sus mártires, pero también sus torturadores.

DANIEL.—¡Son los segundos los que las manchan!

PAULUS.—*(Menea la cabeza con pesar.)* Eres un niño que ve el mundo como un cuento de buenos y malos. Pero, a menudo, un torturador es un mártir que ha sobrevivido; y un mártir, un torturador que no se murió a tiempo. [Como podría serlo mañana, por ejemplo, cualquiera de nosotros...] Mártires, torturadores... Palabras para la propaganda. [Pero ahora estamos solos y te diré la verdad.] *(Otro grito. Paulus mira al fondo.)* Lo esencial es tener la razón a nuestro lado. Cuando eso ocurre, poco importan los medios a emplear.

DANIEL.—¿Y si no tuviéramos toda la razón?

PAULUS.—*(Confidencial.)* Nunca se tiene del todo. ¿Y qué? Necesitamos usar todas las armas, puesto que el enemigo las usa. [Daniel, son armas naturales.] Hay gente que muere en las garras de una fiera. [A un desdichado lo aplasta una grúa.] *(Otro grito. Paulus alza la voz.)* Otro grita durante meses, roído por el cáncer que le consume... No desterrarás el dolor del mundo. ¿Vas a dejarlo entonces en manos del azar? ¡Adueñate de él y utilízalo!

DANIEL.—[¿Por qué no lo proclamamos?] ¿Por qué no incluimos la tortura en el código?

PAULUS.—La gente es incurablemente pueril y no lo entendería.

DANIEL.—No. [Es que empieza a comprender.] La gente lo admitió [en otros tiempos,] cuando era más pueril que ahora. Hoy hay que esconder la tortura como a un hijo deforme. Para defenderla, usted tiene que [cerrar las puertas y] bajar la voz. En público está obligado a poner la cara afable del buen señor que ama a sus semejantes... ¡Qué fracaso, señor Paulus! [Está] usted [falsificado.] Es una mentira que anda con su condena a cuestas. *(Gritos.)*

[PAULUS.—*(Irritado.)* ¿Qué condena?

DANIEL.—La de callar. Es como un loco que quiere tener razón, pero que no está lo bastante loco para proclamarla, ¿eh? ¡No importa! Sus víctimas lo pagarán más caro. Sus gritos le resarcirán de los que usted no se atreve a proferir. *(Un silencio.*] *Miran a la puerta.)*

PAULUS.—Pobre idiota. No es mi retrato el que haces, sino el tuyo. Te crees muy valiente viniéndome a decir esas cosas; pero sabes que no quiero hacerte daño. *(Se levanta, airado.)* ¡Eres tú quien no se atreverá a gritar fuera de aquí, tú quien callarás! *(Rodea la mesa. Otro grito. Se inclina para hablarle al oído.)* Estás atrapado y no hay escape. Un S. P. lo es hasta la muerte. *(Pasea.)* [¡Y puedes agradecerme que aún quiera tener la debilidad de ayudarte!] Pero yo te salvaré a tu pesar. [Porque] yo he elegido el poder, ¿entiendes? Entre devorar y ser devorado, escojo lo primero. Y te llevo conmigo. *(Se acerca y le pone una mano en el hombro.)* [La crisis se alarga, muchacho, pero quizá la superes todavía.] No vuelvas esta noche, descansa. Mañana lo habrás pensado mejor.

DANIEL.—Tampoco volveré mañana.

PAULUS.—*(Rojo de ira.)* ¡Dame inmediatamente tu

pistola y tu carnet! *(Daniel se levanta, temblando.)* ¡Vamos! *(Daniel los saca y los deja sobre la mesa.)*

DANIEL.—Aquí los tiene. *(Paulus va al teléfono, descuelga y empieza a marcar.)* [¿Es la primera vez, señor Paulus?

PAULUS.—¿Qué dices?

DANIEL.—] ¿Es la primera vez que un S. P. deja de serlo antes de morir?

PAULUS.—*(Cuelga bruscamente.)* ¡Me estás haciendo perder la calma! Pero no te saldrás con la tuya. *(Gritan.)* [Prefiero que lo pienses.] Si lo piensas, volverás mañana. *(Pasea. Gritan.)*

DANIEL.—¿No comprende que no puedo? Lo que aquí sucede [no sólo destroza a quienes lo padecen;] destroza a quienes lo hacen. *(Gritos.)*

PAULUS.—Sólo a un tipo enfermizo como tú. *(Gritos.)* Los demás seguimos sanos. *(Gritos. Paulus se abalanza a la puerta y la abre bruscamente.)* ¡Pasad a la otra habitación!... ¡Sí, eso he dicho! *(Cierra con un portazo. Se vuelve. Daniel lo mira fijamente.)*

DANIEL.—*(Después de un momento.)* A Dalton le duele la cabeza. ¿Sabe cuándo le empezó?

[PAULUS.—No.

DANIEL.—] Poco después de lo que le hizo a aquel detenido, a Rugiero.

PAULUS.—¿Y qué?

DANIEL.—Volski padece del estómago [y siempre está de mal humor.] Marsan es un vicioso; no hay bocado más exquisito para él que una mujer aterrorizada. De Luigi prefiero no hablar. ¿Y Pozner? [¿El fuerte, el equilibrado,] el... bruto de Pozner? ¿Sabía que grita y se despierta todas las noches? *(Durante estas palabras Paulus se sienta, sombrío, en el sofá.)*

PAULUS.—No me dices nada nuevo.

DANIEL.—*(Con triunfal sonrisa.)* Antes me dijo que estaban sanos...

PAULUS.—Mentía.

DANIEL.—*(Lo considera un momento y suspira profundamente.)* Mándeme al servicio exterior. No quiero crear aquí ningún conflicto, [si puedo evitárselo.]

PAULUS.—Seguirás aquí.

DANIEL.—*(Da un paso hacia él.)* ¿Es que quiere hacerme estallar? ¡Me acaba de dar la razón!

PAULUS.—No. Tus compañeros están enfermos, pero todo el mundo está enfermo. Ahí fuera el honrado padre de familia también se aturde con sus vicios, [padece úlcera de estómago o se despierta gritando. Él sabrá por qué, si es que lo sabe.] Tal vez piense que no gana bastante dinero, o quizá intuye que también es responsable de todo lo que aquí se hace para defenderlo. El mundo es el mismo [ahí] fuera y [aquí] dentro. Por eso es un iluso el que crea que, para hacer nuestro trabajo, se pueden encontrar hombres diferentes o forjarlos aquí. Mírame: yo he sido ese iluso. Cada uno de tus compañeros ha sido para mí una desilusión y tú has sido la última... Porque en ti confiaba; [tú eras distinto. Como yo.] ¡Tú hubieras debido mantenerte sano! Bien. Actuarás [de todos modos.] Enfermo, como ellos. Hace [muchos] años que he aprendido a estar solo, hijo mío.

DANIEL.—¿Cuántos, señor Paulus?

PAULUS.—¿A qué viene eso?

[DANIEL.—¿Por qué eligió su profesión?

PAULUS.—¿Que por qué elegí...? Pero, ¿de qué hablas?

DANIEL.—Hay quien enferma aquí dentro y hay quien ingresa enfermo. Usted ya lo estaba cuando ingresó.

PAULUS.—¿Yo? ¿De qué?

DANIEL.—De rencor. *(Un silencio.)*

PAULUS.—*(Sin mirarlo.)* Hijo mío, te has vuelto loco.]

DANIEL.—*(Después de un momento.)* Mi madre le envía sus saludos. *(Paulus levanta la cabeza y lo mira fijamente.)* ¿Desea que le traslade los suyos como de costumbre?

PAULUS.—Si eso te divierte...

DANIEL.—[Es usted quien nunca lo olvida.] Resulta curioso. [Porque] sería lógico prescindir de esa fórmula después de tanto tiempo. ¿Le es imposible olvidar hasta ese punto que ella le rechazó?

PAULUS.—*(Lo mira con asombro y se levanta.)* Cállate.

DANIEL.—He llegado a sospechar que usted era mi verdadero padre. Todavía hace un momento me ha llamado hijo. ¡No vuelva a llamármelo! [Ahora le comprendo a fondo.] ¡Usted nunca ha dejado de odiar al hombre que fue mi padre! *(Ríe, nervioso.)* [¿No le da a usted mismo risa?] El hombre fuerte resulta [un muñeco. El político sin flaquezas escondía] un resentido. Desde entonces, no hace otra cosa que vengarse de aquella herida. Sobre todo en el [hijo de su rival: en el] que pudo haber sido su hijo y lo fue de otro. *(Paulus se fue acercando con los puños crispados.)*

PAULUS.—*(Ya a su lado grita.)* ¡Cállate!

DANIEL.—*(Exaltado, grita también.)* ¡Me ayudó a ingresar para destruirme! [¡Me trajo a la S. P. para destruirme!] Pues bien, ¡ya lo ha conseguido! ¡El hijo paga por sus padres! [¡Y con el más alto precio! ¡Con el que usted habría querido hacerle pagar a mi padre y que me ha condenado a pagar a mí!] Porque era eso lo que quería, ¿verdad? Cuando me ordenó que mutilase a ese pobre Marty, era eso lo que quería.

PAULUS.—*(Estremecido.)* ¿Qué?

DANIEL.—[¡Regocíjese! ¡Ya estoy como él!] Ya no puedo ser para mi mujer otra cosa que un hermano. *(Poseído de una extraña turbación. Paulus cierra los ojos.)* ¡Pero todavía soy un hombre! *(Paulus lo aferra de pronto por las solapas y lo sacude brutalmente.)*

PAULUS.—¿Callarás?

DANIEL.—*(Mientras es zarandeado.)* [¡La hombría no calla, la hombría es imprudente! ¡Me siento revivir!] ¡Este guiñapo viene a decirle que es usted un canalla! *(Paulus lo arroja sobre el sofá, furioso. Quedan mirándose, jadeantes. Suena el timbre del teléfono. Paulus va a la mesa y descuelga.)*

PAULUS.—¡Diga!... *(Su tono cambia.)* A sus órdenes, jefe... Es que ahora tenemos aquí muy pocos hombres. [Pero se trabaja día y noche...] Le aseguro, [jefe,] que... Deme aún cuatro días. Le prometo que dentro de cuatro días cerraré el atestado... Lo tendré muy en cuenta... A sus órdenes. *(Cuelga. Se queda pensativo. Daniel se levanta.)*

DANIEL.—No es sólo el rencor: es el miedo. Usted también está cogido en la trampa. Adiós. *(Va a coger su sombrero.)*

PAULUS.—¡Daniel! *(Daniel se vuelve. Paulus da unos pasos hacia él.)* No quiero negar cosas que acaso sean ciertas [ni me voy a rebajar a mentirte.] Sé a pesar de todo que trabajo por motivos más dignos que toda esa basura que cada cual puede llevar dentro. Esa es mi fuerza y no quiero saber nada más. Tú eres un S. P. y no has dejado de serlo. *(Recoge la pistola y el carnet de la mesa. Él mismo le introduce en el pecho la pistola.)* Guarda tu pistola. Y tu carnet. *(Se lo mete en el bolsillo de la gabardina.)* Puede que tengas razón en una cosa: tal vez convenga enviarte al extranjero. [Tengo cierta debilidad por ti aunque tú creas lo contrario; puede que allí te repongas... de todo.] Y después de lo que me has dicho te confesaré [con franqueza] que tu presencia aquí ya no me agrada. Reconsideraré el asunto. Hay que esperar una coyuntura apropiada. Entretanto habrás de continuar con tu trabajo. De modo que hasta mañana por la noche. Puedes retirarte. *(Daniel, que le ha escuchado con una sonrisa de triunfo, se dirige a la percha y toma su sombrero.)*

DANIEL.—¡Le tomo la palabra, señor Paulus! *(Se cubre y baja por los peldaños de la izquierda. Paulus se le queda mirando con gesto impenetrable y luego sale, erguido y con paso enérgico, por la puerta del foro, al tiempo que la luz se extingue en la oficina y crece en casa de los Barnes. En el sillón del teléfono se encuentra* MARY, *abstraída. Unos segundos de pausa. Por la izquierda entra* LA ABUELA *empujando la cuna del niño y la deja junto al teléfono.)*

MARY.—¿No tendrá frío aquí el niño?

ABUELA.—¿Eh?... Viene envuelto en su toquilla. Es que no quiero que se despierte con el ruido de la televisión. *(La abuela sale por donde entró tarareando sin letra la canción del Finus. Mary se levantó a sus palabras con una leve perplejidad cuya causa no llega a recordar y contempla su salida. Luego va a la cuna y se inclina para mirar al niño.)*

MARY.—[¡Cielito! ¿No tienes frío, nenín?] *(Le arregla la toquilla.)* Así: bien tapadito. Duerme, hijo mío. Tú no tienes la culpa de nada. Tú eres mío. Mío y de nadie más. [Tu madre te quiere. Porque sólo eres de ella... Sólo de ella.] *(Se incorpora, inquieta de nuevo por un confuso recuerdo. Mira hacia la izquierda y vuelve a mirar a la cuna con desasosiego. De pronto se vuelve hacia el foro, expectante, y aguarda. Una pausa. Por el foro entra* DANIEL *y a ella se le escapa un ligero suspiro de sobresalto. Daniel la mira desde la puerta con ojos donde brilla la chispa de una posible liberación.)*

DANIEL.—Hola.

MARY.—*(Musita.)* Hola. *(Daniel va a la estantería y, sin dejar de mirarla, saca su pistola y la deja en el lugar de costumbre. Ella retrocede un paso.)*

DANIEL.—¿Está dormido?

MARY.—Sí. *(Él da unos pasos hacia la cuna. Ella alarga instintivamente el brazo para detenerlo.)* No lo despiertes.

DANIEL.—*(Se detiene y baja la voz.)* Mary, [parece

Representación de la obra en el teatro Benavente de Madrid
el 29 de enero de 1976

Foto S. Yubero

imposible...] ¡Lo voy a conseguir! Todavía puede haber un futuro para nosotros.

MARY.—*(Turbada.)* No te entiendo.

DANIEL.—He hablado con Paulus. [*(Cruza para escuchar en la puerta de la izquierda y señala hacia afuera.)* ¿Está viendo la televisión?

MARY.—Sí.

DANIEL.—Tenías tú razón, Mary. Con mi cobardía nunca hubiera cortado este nudo. Pero] hoy me sentía tan desesperado que encontré mi propio valor. Todo me lo ha tenido que oír ese canalla. ¡Todo! Y al fin me ha prometido enviarme al servicio exterior.

MARY.—*(Lo mira fijamente.)* ¿No tienes que volver?

DANIEL.—No esta noche... A eso me he negado [en redondo.] Mañana, sí. *(Mary baja la cabeza. Él se acerca.)* [Sí, Mary: es un duro precio. Pero estos días lo estaba pagando por nada y ahora él ha tenido que transigir.] Será cosa de unos días... Yo procuraré hacer en ellos... el menor daño posible, y él no se atreverá a reprochármelo. *(Junto a ella.)* ¡Mary! ¡Qué liberación! Tenía que gritarle la verdad en la cara para volver a ser un hombre. ¡Ahora estoy seguro! ¡Lo noto! Si tú me ayudas, cortaremos todos los nudos. *(La toma por el talle. Ella se estremece. Él le habla al oído, emocionado.)* Lo noto, Mary. Lo presentí allí mismo y ahora, al verte, sé que estamos tocando el prodigio más extraordinario... *(Le acaricia los brazos.)* [Mi paciente, ni abnegada mujercita...] *(Va a besarla. Ella aparta la cabeza con los ojos muy abiertos.)* Ven. *(Intenta conducirla hacia la izquierda. Ella se desprende y se aparta unos pasos, jadeante.)*

MARY.—¿Qué quieres?

DANIEL.—*(Se acerca, sonriente.)* Mamá se distrae con su televisión y el niño duerme... Es como si estuviéramos solos... *(La toma de la mano.)* Todo puede empezar hoy de nuevo si tú quieres. Me has dado tanta comprensión y tanta generosidad... [Síguemelas dando,] amor mío. Ahora te necesito y te quiero más que nunca.

MARY.—*(Se desprende y retrocede hacia la cuna.)* ¡No!

DANIEL.—¡Mary! ¡Es la liberación, que comienza! ¡Y soy tu marido! [¡Tu Daniel!]

MARY.—¡No, no! ¡Tú eres otro! ¡Otro!

[DANIEL.—¿Qué?

MARY.—¡Otro!]

DANIEL.—*(Va hacia ella.)* ¡Nos necesitamos!

MARY.—¡No te acerques al niño!

DANIEL.—*Llega a su lado.* ¡Es mi hijo! *(La zarandea por los brazos.)* ¡Y tú eres mi mujer!

MARY.—¡Suelta! ¡Suéltame! *(Grita. Logra desprenderse.)*

DANIEL.—¡Mary! *(Convulsa, Mary [toma al niño de la cuna.)* ¿Qué haces? ¡Deja al niño! *(Oprimiendo al niño contra su pecho, Mary] retrocede hacia el fondo.)*

MARY.—¡No te acerques! ¡Es mío, mío! ¡A él no le harás nada!

DANIEL.—¿Qué te pasa? *(Junto a la estantería, ella toma de pronto la pistola y, [sujetando al niño contra su pecho], la monta mientras dice.)*

MARY.—¡No te acerques!

DANIEL.—[¿Qué haces?] ¡Trae eso! *(Da un paso hacia ella. Ella lo apunta y huye rápidamente, pasando entre el sofá y la mesita para bordear la habitación y situarse en el primer término izquierdo, mientras dice:*

MARY.—¡Ojalá no te hubiera conocido nunca! ¡Duerme tú, hijo mío! ¡Tu madre te defiende! [¡Ojalá no te hubiera dado la vida! ¡Perdónamelo tú, ángel mío! ¡Tu madre te protege!] ¡Él no nos hará nada, nada! ¡Tú jugarás con todos los niños del mundo!

DANIEL.—¡Mary, cálmate! *(Va hacia ella.)* ¡Y dame esa pistola!

MARY.—*(La levanta y grita.)* ¡No des un paso más!

(Daniel se detiene. La luz decrece en la habitación y sube en el primer término. EL DOCTOR VALMY *y su* SECRETARIA *entran por la derecha. Mary y Daniel permanecen absolutamente inmóviles, paralizados en sus gestos y actitudes. El doctor dicta.)*

DOCTOR.—Si se pudiese detener el tiempo... Pensar, antes de que sea demasiado tarde... [Él podría haber pensado: ¿Qué va a ser de mi mujer? ¿De mi hijo? Y ella: Si disparo, estoy perdida.] Pero cuando los [pobres] seres humanos llegan al límite del sufrimiento los arrastra una marea terrible y ya sólo desean cerrar los ojos... sin querer pensar en lo que después sucederá.

SECRETARIA.—Lo que después sucederá. (EL SEÑOR DE ESMOQUIN *y* LA SEÑORA EN TRAJE DE NOCHE *entraron por la izquierda a tiempo de escuchar las últimas palabras del doctor. Mientras hablan, el doctor Valmy los mira con tristeza. Súbitamente, luz total en la sala donde se encuentra el público.)*

SEÑOR.—*(Chasquea reprobatorio la lengua y deniega con la cabeza.)* Esto ya no es juego limpio, doctor.

SEÑORA.—*(Su acento, como el del señor, trasluce una disimulada turbación.)* ¿Es que quiere destrozarnos los nervios con sus relatos inverosímiles?

SEÑOR.—Nos obliga a intervenir de nuevo.

SEÑORA.—*(Al público.)* No le hagan caso, amigos míos. Ya les dijimos que la historia es falsa.

SEÑOR.—Y si ocurrió algo parecido, no fue tan espantoso. Ya sabemos que, alguna vez, hay quien se excede... y quizá se le escapa algún cachete... *(Sonríe su propio chiste. El doctor hace una seña. Por la izquierda entra un enfermero y se acerca a la pareja por detrás.)*

SEÑORA.—Pero no hay que armar tanto ruido por tan poca cosa.

SEÑOR.—Permanezcan tranquilos. Nosotros les aseguramos que el doctor les engaña.

SEÑORA.—*(Triste.)* ¡Y no pierdan la sonrisa! *(El*

enfermero los toma por los brazos. Ellos lo miran, desconcertados. Él los empuja suavemente hacia el lateral.

SEÑOR.—*(Se resiste y volviéndose al público dice, triste.)* ¡No pierdan la sonrisa! *(Con un tirón algo más seco, el enfermero se hace con él y saca a los dos por el lateral. La luz de la sala vuelve a apagarse.)*

DOCTOR.—Así, [como recordará el lector,] terminó mi anterior historia. [Yo había decidido contar la segunda ante un grupo de pacientes del sanatorio y, al llegar al momento en que ella, enloquecida, empuñó la pistola, el matrimonio de la primera historia me motejó de mentiroso.] De nada sirvió recordarles que ellos eran vecinos de la casa; aludieron precisamente a su condición de vecinos para desmentirme... Al día siguiente yo les daba de alta. [Sí; pues, en definitiva, ¿podía diagnosticárseles un desequilibrio mental por que ninguno de los dos admitiese la realidad de los sucesos que acabo de relatar?] En nuestro extrañísimo mundo, todavía no se puede calificar a esa incredulidad de locura. Y hay [millones] como ellos. Millones de personas que deciden ignorar el mundo en que viven. Pero nadie les llama locos.

SECRETARIA.—Locos.

DOCTOR.—Marido y mujer han vuelto a su vida fácil; y cuando coinciden en el portal con la abuela, ríen y charlan algo más alto... En cuanto al presente relato, logré completarlo por las confidencias de un antiguo condiscípulo mío, un médico de la S. P. Porque allí, bajo la presión física, la carne habla... Bien. [Debemos volver a] nuestra historia. Toca a su fin [y hay que terminarla.] Sucedió en los días en que nuestro país ponía en órbita su estación espacial. *(La secretaria y el doctor salen por la derecha. La luz vuelve a iluminar plenamente la casa de los Barnes. Mary y Daniel reviven.)*

MARY.—¡No des un paso más!

El autor, ante el público de la noche del estreno en Madrid, agradece al director González Vergel la puesta en escena de la obra

Foto S. Yubero

DANIEL.—*(Con los ojos húmedos.)* ¡Mary!

MARY.—¡Vuelve con ellos! ¡Tú volverás siempre! ¡Tu jefe lo sabe y tú también lo sabes! ¡Porque quieres volver, quieres volver!

DANIEL.—El doctor me lo advirtió. Paulus me ha engañado y nunca curaré. *(Mira a su mujer con obsesiva fijeza. Se le desmayan los brazos. Las lágrimas le resbalan por el rostro.)*

MARY.—Eres un monstruo. *(Daniel acepta la palabra: cierra los ojos y agacha la cabeza.)*

DANIEL.—No hay escape. *(Abre los ojos y mira hondamente a su mujer, a su hijo, a la pistola.)*

MARY.—*(Grita.)* ¡No te muevas! *(Lentamente Daniel comienza a andar. Mary vuelve a gritar.)* ¡No te acerques! *(Pero él sigue avanzando sin dejar de mirarla. Presa de un terror indominable, ella grita de nuevo, al tiempo que dispara. Daniel cae, casi sonriente. Aún logra incorporarse con esfuerzo para mirar a su mujer.)*

DANIEL.—¡Gracias!... *(Mary vuelve a disparar. El niño llora. Mary deja caer el arma al suelo [y mece al niño,] mirando con ojos angustiados el cuerpo de su marido. Al segundo disparo, una luz irreal empezó a crecer en la oficina. El Nocturno de Chopin comienza a oírse, muy lejano.* LA ABUELA *entra precipitadamente por la izquierda, mira a su nuera, a la pistola, y corre a arrodillarse junto al cuerpo de su hijo.)*

ABUELA.—¡Daniel! ¡Daniel, hijo! ¡Hijo mío!... *(Solloza. En la oficina se abre la puerta del foro y entra* PAULUS, *que llega a la mesa y se inmoviliza. Tras él,* MARSAN, POZNER *y* LUIGI *entran a su vez. Todos aguardan, inmóviles. La abuela se incorpora y mira con odio a Mary.)* ¡Bribona!... *(Se levanta sin perderla de vista y corre al teléfono para marcar, nerviosa, un número. El piano suena más fuerte y en la oficina no vibra ningún timbre, pero Paulus toma el auricular y escucha. La abuela dice algo inaudible y cuelga. Paulus cuelga y señala a Marsan y a Pozner, que asienten y comienzan a bajar la escalerilla frontal. Luego señala a Luigi, que asiente y baja por la escalerilla de la izquierda, Marsan y Pozner pasan de la escalerilla a la casa y contemplan el cuerpo de Daniel. Pozner se inclina y comprueba que está muerto. Marsan se acerca a Mary, recoge del suelo la pistola con un pañuelo y se aparta para indicarle que camine, mirándola con ojos inescrutables. En la oficina, Luigi reaparece por la izquierda conduciendo a* LUCILA. *Mary cruza lentamente hacia la derecha. Ante la abuela se detiene, [besa al niño con honda ternura y se lo entrega.] Después baja de la plataforma y comienza a subir la escalerilla, precedida de Pozner y seguida de Marsan. El piano pasa sin interrupción a la Canción de Cuna de Brahms. La abuela se sienta en el sillón [y mece, llorosa, al niño.] mientras contempla furtivamente el cadáver de su hijo.)*

ABUELA.—*(Casi no se la oye.)* Érase que se era un niño [pequeñito,] más bonito que el sol, que se llamaba Danielito... Y Danielito era muy guapo y muy bueno, y tenía una mamá que lo adoraba... Y decía su mamá: mi Danielito se hará [fuerte y] grande como un capitán. Y Danielito sonreía... Y como es tan buenísimo, todos le querrán y serán sus amigos. Y Danielito sonreía... *(Entretanto, Mary llegó arriba. Una profunda mirada se cruza entre ella y Lucila. Las dos, de cara al proscenio, contemplan en el vacío su destino, rodeadas por las caras impenetrables de los hombres. La escena entera se sume en la penumbra, salvo la luz que ilumina a Mary y la suave claridad que cae sobre el banco vacío. En esa penumbra, se oyen las últimas palabras de la abuela. El piano sigue sonando.)*

TELÓN

MITO

LIBRO PARA UNA ÓPERA

INTERVIENEN

Voz 1.ª
Voz 2.ª
Voz 3.ª
Voz 4.ª
Voz 5.ª
Teresina (La Sobrina)
Bárbara (El Ama)
Eloy (Criado)
Micky (Criada 1.ª)
Vicky (Criada 2.ª)
Pedro (El Bachiller)
Apolinar (El Cura)
Arístides (El Barbero)
Rodolfo Kozas (Don Quijote)
Simón (Sancho Panza)
Voz 6.ª
Arcadio Palma
Marta
Salustio (El Ventero)
"Duquesa"
Electricista
"Duque"
Visitante 1.º
Visitante 2.º
Visitante 3.º
Visitante 4.º
Visitante 5.º
Visitante 6.º
Ismael
1.ª Moza del Partido
2.ª Moza del Partido
Efrén (Mozo de Mulas)
Mozuelo
Barrendera joven
Barrendera vieja
Policía 1.º
Policía 2.º
Regidor
Comisario
Policía 3.º
Policía 4.º
Policía 5.º
Seis Tramoyistas

Cantantes, Policías, Público

En el Teatro de la Ópera de una Ciudad de nuestro tiempo

Derecha e izquierda, las del espectador

PARTE PRIMERA

La embocadura de la escena está formada por una obra de ladrillos sobre la que se divisan fragmentos de viejos carteles y avisos, y suscita la sospecha de que no nos encontramos en la sala de un teatro sino en las vastas dependencias posteriores de su escenario. Algo más allá de la embocadura, un par de escalones corre a todo lo largo de la escena. En el primer término de la derecha y delante de estos escalones, un amplio escotillón rectangular del piso, con peldaños de bajada que arrancan de su frente, permite descender al foso; la barandilla de tubos metálicos que lo cerca por sus bordes laterales se transforma, en el borde posterior, en una plancha opaca de la que cuelga, hacia el hueco, una bombilla roja con pantalla que ahora está apagada. Las paredes de ladrillo que forman la extraña embocadura se doblan en ambos laterales hacia el escenario y terminan algo más atrás, dejando abiertos y perdidos en la penumbra los hombros del mismo. En cada una de las dos fajas laterales de pared hay una puerta: son dos camerinos. Un enorme trasto con quebraduras en biombo descansa sobre los escalones que cruzan la escena y la ocultan casi totalmente. Visto por su revés, sólo muestra su artesana superficie de envarillados y listones sobre la gruesa tela; pero se colige, por el irregular contorno de su cresta, que debe de representar un fondo urbano de palacetes, torrecillas y chapiteles castellanos. Iluminaciones laterales y focos cenitales entrevistos más lejos, por encima del trasto, confirman la impresión de que el escenario se divisa desde su fondo. En los dos extremos de la embocadura, sendas escalerillas lo comunican con la sala. Las personas que, por azar, entren en ella, advertirán que, tras el enorme trasto, se está representando una ópera. La orquesta lejana ejecutaba ya, cuando entraron, una ampulosa y triste música inspirada en la meseta ibérica, a cuyos sones no tardan en unirse melancólicas notas de guitarras. De pronto, estallan sobre la música espaciadas voces de cantores de ambos sexos, progresivamente lejanas.

Voz 1.ª ¡El loco va a morir!
Voz 2.ª ¡Se muere el loco!
Voz 3.ª ¡Triste es nuestro vivir!
Voz 4.ª ¡Somos bien poco!

(Una voz femenina entona una vieja copla castellana.)

Voz 5.ª Deja tu espada y tu pena
a mi orilla reposar.
Yo soy el agua serena
que tu sed quiere aplacar.

(Vuelven espaciadas voces, desde una remota lejanía hasta muy cerca.)

Voz 4.ª ¡El loco va a partir!
Voz 3.ª ¡Por él yo ruego!
Voz 2.ª ¡Cuerdo se halla al morir!
Voz 1.ª ¡Ya no esta ciego!

(Izado el telar o sumido en los laterales, el gran trasto desaparece. Entonces se advierten, sesgados, otros trastos menores. El de la izquierda parece representar un trozo de pared con una puerta; el de la derecha, más bajo, la cabecera de un dormitorio,

y ambos se divisan, como el trasto desaparecido, por su revés. Adosado al trasto derecho y de perfil, pero ligeramente torcido hacia el fondo, hay un lecho antiguo. De uno de los relieves de su cabecera penden la espada de DON QUIJOTE *y la bacía de azófar que el caballero tomara por el Yelmo de Mambrino. A ambos lados del fondo se columbran los pilares de ladrillo y metal que forman la parte interior de la embocadura del escenario y, en su altura, los deslumbrantes focos de las diablas. En el gran hueco surcado por la luz de los focos exteriores vibra el denso gris de la sala oscura. Don Quijote* (RODOLFO), *en camisón y de rodillas sobre el lecho, recibe la absolución del Cura* (APOLINAR). *El Ama* (BÁRBARA), *la Sobrina* (TERESINA), *el Barbero* (ARÍSTIDES) *y el Bachiller* (PEDRO) *aguardan, por el orden en que han de entrar en escena, junto a la puerta del trasto izquierdo. Por delante de los escalones avanzan de derecha a izquierda una criadita* (MICKY), *un criado cincuentón* (ELOY) *y otra criadita* (VICKY), *deteniéndose, en bellas posturas expectantes, a distancias regulares.)*

LA SOBRINA. ¡Mi tío y señor se muere! ¡Se nos muere!
EL AMA. ¡Mi señor Don Alonso morir quiere!
CRIADO. *(Fuerte.)*
¡Don Quijote agoniza! ¡Dios lo ordena!

(Los que aguardan junto a la puerta se miran consternados y el BARBERO

adelanta un paso para indicar al criado (ELOY) *que no cante tan fuerte.* DON QUIJOTE *reza inmóvil y de rodillas.* EL CURA *se volvió y se encamina hacia la puerta.)*

CRIADA 1.ª ¡Nuestro señor acoja su alma buena!
CRIADA 2.ª ¡Se muere!
EL AMA. ¡Mi señor!
LA SOBRINA. ¡Ya se nos va!
BACHILLER. Que no os oiga él llorar, por caridad.
EL CURA. *(En la puerta.)*
Muy cierto es que está cuerdo y que se [muere
Quijano el Bueno, porque Dios lo [quiere.

(Se aparta y entran todos. EL AMA *y* LA SOBRINA *se acercan presurosas al lecho.)*

LA SOBRINA. ¡Buen Jesús!
EL AMA. ¡Mi señor, no coja frío!
LA SOBRINA. ¡Vuelva a arropar sus carnes, señor tío!

(Entre las dos meten a DON QUIJOTE *en el lecho y le acomodan las almohadas. Los tres criados llegaron a su vez a la puerta y entran, respetuosos, Sancho Panza* (SIMÓN) *aparece por la izquierda, se aposta junto a la puerta y bosteza en silencio.)*

BARBERO. Don Alonso, aún podría yo sangrarle
y de aquesta flaqueza rescatarle.
D. QUIJOTE. No, buen barbero, no. Ya no estoy loco,
y sé que me voy yendo poco a poco.

(La voz femenina entona, lejos, otra estrofa de la copla.)

Voz 5.ª El Caballero llegaba
a la fontecica fría
para aliviar su agonía
y el agua no le saciaba.

(DON QUIJOTE *se incorporó para escuchar.)*

EL CURA. Alguna moza es, que no repara...
D. QUIJOTE. ¡Si alguien en el Toboso así cantara!...

(Un tiempo.)

Llamad a Sancho.

(SANCHO *se precipita llorando en escena y se arrodilla junto al lecho.)*

SANCHO. ¡Padre y dueño mío!
D. QUIJOTE. Sancho, perdóname tu desvarío.
SANCHO. Vuesa merced un buen consejo tome.
Vuesa merced no muera y se levante
dejando esa tristeza que le come.
Al campo nos iremos de pastores
y a Doña Dulcinea cantaremos
con el zurrón repleto de primores.
D. QUIJOTE. ¡Ah, Sancho bueno, tu alma simple y [pura
aún quisiera soñar junto a la mía
en una España llena de ventura!
Despierta ya. Que en los nidos de antaño,
Sancho infeliz..., no hay pájaros hoga-[ño...

(Muere. Sollozando, todos se arrodillan y se santiguan. La voz femenina termina la copla.)

Voz 5.ª El Caballero partió.

La fontecica lloraba
y de sollozar no acababa
porque él ya nunca volvió...

(El telón del fondo comenzó a bajar lentamente. La orquesta del fondo lanza su brillante final. Los aplausos se adelantan, atronadores. El telón baja y vuelve a subir. Los cantantes permanecen en cuadro. A los aplausos se suman los usuales «bravos» histéricos. El resto de la Compañía aparece por los laterales y aguarda. El telón baja. Todos se mueven como rayos y se sitúan en filas ante el telón del fondo. El telón sube. La sala del fondo se ha iluminado. El Director ARCADIO PALMA, *de frac y con una condecoración al cuello, aparece y se aposta junto a la puerta del trasto izquierdo. La Compañía saluda, entre aclamaciones, al público. Luego se vuelve hacia un invisible palco de la izquierda y le dedica una exagerada y solemnísima reverencia. El telón baja. El* SEÑOR PALMA *sisea:* TERESINA (La Sobrina) *corre a buscarlo y lo conduce al proscenio mientras el telón vuelve a subir. Los aplausos y «bravos» arrecian. El* SEÑOR PALMA *y la Compañía saludan al público y de nuevo al palco, repitiendo la fantochesca zalema. Las filas de cantantes se descomponen y dejan en el centro al* SEÑOR PALMA *y a* RODOLFO KOZAS (Don Quijote), *que saludan y, ante las aclamaciones, se abrazan. Luego vuelven a doblarse ante el palco invisible. La orquesta inicia*

un breve himno nacional que es muy, muy alegre. El público rompe a aplaudir. El SEÑOR PALMA *y los cantantes aplauden también, vueltos hacia el palco invisible. El himno termina y se oye en la sala del fondo una aflautada voz que canturrea.)*

VOZ 6.ª ¡Viva el señor Presidente!

(Y gran parte del público responde con esta curiosa cantilena.)

PÚBLICO. ¡Viva, viva, viva! ¡Va, va!

(El telón baja definitivamente. El SEÑOR PALMA *desaparece por la izquierda cantando.)*

SR. PALMA. ¡Aguárdenme, que corro a despedirlo!

(Con su voz la música inicia un nuevo motivo. Los cantantes van formando grupos hacia la izquierda, con las caras llenas de satisfacción. Espiándolos disimuladamente, ELOY *se aparta de ellos, se acerca al lecho, atrapa con un rápido ademán la bacía y la oprime contra su pecho. Al volverse,* RODOLFO KOZAS *muestra sobre su camisón de escena una condecoración idéntica a la que ostentaba el* SEÑOR PALMA. *Su mano y la de* TERESINA *se enlazan.)*

MICKY. ¡Qué hermosa noche!
VICKY. ¡Premios, alegría!
RODOLFO. *(Con intención, a* TERESINA.*)*
No ha hecho más que empezar...

TERESINA. *(Se desenlaza, púdica.)*
¡Oh, qué indiscreto!

PEDRO. Reparad en Eloy.

(Todos miran a ELOY, *reprimiendo la risa. Él lo nota y permanece inmóvil, sin mirar a nadie.)*

RODOLFO. Es lo de siempre.
Dejadle desgranar viejos recuerdos.

MICKY. ¿Recuerdos?

RODOLFO. Una noche, hace diez años
él canto mi papel.

MICKY. ¿Era famoso?

RODOLFO. Fue su oportunidad y la ha perdido.

(ELOY *se decide a avanzar bruscamente, sentándose a la derecha sobre los escalones. Luego se encasqueta la bacía y mira al frente con los puños en las mejillas, entre las sonrisas de todos.* SIMÓN, *que representó a Sancho, empieza a desvestirse.*)

SIMÓN. Yo me voy a cambiar.

BÁRBARA. (*Por* ELOY.)
No le hagáis caso.
¡Hoy cantó como un ángel, señor Kozas!

(No sin mirar con recatada curiosidad a ELOY, SIMÓN *se dirige al camerino de la izquierda, cuya puerta abre y cuya luz enciende al entrar.)*

RODOLFO. Había que honrar a nuestro Presidente.

(MARTA, *una chica no fea pero de apariencia anodina, entra, con blusa de trabajo, por la derecha. Recoge la espada de Don Quijote colgada en el testero y, al no ver la bacía, mira a* ELOY, *suspira y se dedica a recoger otras cosas que le dan los cantantes: la espada del* «DUQUE», *una gruesa cadena y el tocado de la* «DUQUESA», *etc. Ajenos al parecer a cuanto sucede —aunque nunca dejan de observar—, seis* TRAMOYISTAS *entran por ambos laterales. Dos de ellos sujetan y vigilan la subida al telar del trasto izquierdo; los otros cuatro deslizan el lecho y su testero hacia la derecha mientras los cantantes siguen departiendo. Luego se retiran.)*

VICKY. (*A* RODOLFO.)
¿Me deja ver la cruz de muy cerquita?
RODOLFO. Claro que sí.

(Se arranca los bigotes y la perilla.)

VICKY. ¡Qué lindo es el esmalte!
RODOLFO. *(Se alisa los cabellos.)*
No tanto como tú.

(TERESINA *lo pellizca con saña.*)

¡Quieta, muchacha!
VICKY. Señorita, son bromas sin malicia.
TERESINA. (*Por* RODOLFO.)
¡No hable usted por su boca, señorita!

(Los focos de escena se van apagando. El escenario queda iluminado por una luz fría y difusa.)

VICKY. Perdón.
RODOLFO. Pero, ¿qué es esto?
TERESINA. Que la noche
no ha hecho más que empezar, como
[tú dices.

(Se aparta contrariada.)

PEDRO. ¡Y muy bien que empezó! Cincuenta
las condecoraciones otorgadas [fueron.
hoy en todo el país.

(RODOLFO *le da a* MARTA, *que le tendía la mano para recogerlos, sus postizos.)*

RODOLFO. Gracias, pitusa...

(Y le toma, galante, la barbilla. TERESINA *los contempla, inquieta.* MARTA *se zafa, con un mohín un tanto ridículo.)*

MARTA. Por favor...
APOLINAR. *(Toma a* RODOLFO *del brazo y lo aparta.)*
¡Pero pocas tan bien dadas
como las que esta noche festejamos!

(Los cantantes se van apiñando en torno a los dos.)

ARÍSTIDES. ¡Muy merecida la tenía Rodolfo!
VICKY. ¡Y el señor Palma!
SALUSTIO. *(Palmea, adulador, el cogote de* RODOLFO.)
¡Grandes servidores
de un gran país y de una gran cultura!
RODOLFO. Me abrumáis...
«DUQUESA». ¡Es justicia, caro amigo!

TERESINA. *(Que se quedó sola a la derecha, decide cambiar de actitud.)*
Sí, amigo mío, gran justicia ha sido.

(Avanza hacia él conmovida.)

Y yo he... llorado, viendo al Presidente,
cuando en el entreacto y aquí mismo
la cruz te puso al cuello.

APOLINAR. ¡Qué gran hombre!

TERESINA. ¡Es el mejor barítono del mundo!

APOLINAR. ¿El Presidente?

TERESINA. ¡No, señor! ¡Rodolfo!

(Mimosa, se acerca a RODOLFO.*)*

RODOLFO. *(La enlaza.)*
¡Jamás olvidaremos estas horas!
¡Una alegre velada nos aguarda!
¡La nación y la ópera prosperan!

TERESINA. ¡Y el amor nos concede su ventura!

RODOLFO. *(Canta, exultante, los gritos.)*
¡Viva, viva, viva!

TODOS. ¡Va, va!

(TERESINA *se echó en los brazos de* RODOLFO. *Tras su recorrido, en el que recogió diversas cosas,* MARTA *se acerca tímidamente a* ELOY. *Él nota su llegada y la mira de soslayo, inquieto.*)

PEDRO. Fijaos en Eloy.

RODOLFO. No dará el yelmo.

TERESINA. Qué extrañamente mira a esa mucha- [cha...

RODOLFO. Teme que se lo pida.

TERESINA. No. No es eso...

RODOLFO. *(Se encoge de hombros.)*
Será que está pensando en musarañas.

(Con mucha timidez, MARTA *señala a la bacía.* ELOY *se levanta despacio, muy turbado, con una leve negativa que es un ruego. Ella pregunta con un gesto: «¿No?» Él junta suavemente las manos suplicantes. Ella baja los ojos y cruza hacia la derecha; antes de salir se vuelve a mirarlo, desasosegada. Él, que la siguió con la vista, desvía la cabeza al mirarlo ella, emocionado.* MARTA *sale.* ELOY *se sienta y vuelve a apoyar la cara sobre los puños.)*

APOLINAR. En lo que piensa es en los visitantes.
MICKY. ¿Qué visitantes?
MUCHOS. *(Con sorna.)*
¡Ah! Los visitantes.

(ELOY *los mira de reojo y decide ignorarlos.* SIMÓN *ha oído y sale a medio vestir de su camerino. Entre él y* ELOY *se cruza una mirada.*)

MICKY. Pero ¿qué visitantes?
RODOLFO. ¿No lo sabes?
MICKY. Como soy nueva aquí...
PEDRO. *(Sonríe, con un dedo en los labios.)*
¡No lo preguntes!
RODOLFO. *(Acercándose a* ELOY, *brinda sus palabras a los demás.)*
El hombre sólo piensa en su secreto...
Por eso aún no me ha felicitado.
MUCHOS. ¿Será posible?
RODOLFO. Claro que es posible.
Siempre afirmó que soy un mal barítono.

MUCHOS. ¡Qué insensatez!
RODOLFO. ¡Eloy es tan sincero!
BÁRBARA. *(Con sorna.)*
Quizá, pensando siempre en visitantes,
no reparó...
RODOLFO Se lo preguntaremos.
¿Es eso, Eloy? ¿Quizá no reparaste
en las dos cruces que hoy el Presidente
concedió a dos personas que conoces?

(Columpia, irónico, su cruz.)

¿O quizá ni siquiera has reparado
en que esta noche vino el Presidente?
MUCHOS. ¡Ja, ja! ¡Ja, ja! ¡Ja, ja!
ELOY. He reparado.
RODOLFO. ¡Pues nadie lo diría, viejo amigo!
ELOY. Ayer, muchas tarimas levantaron
buscando alguna bomba, y esta noche
la casa se llenó de policías.
RODOLFO. ¡Pero eso es natural!
ELOY. He reparado.
MUCHOS. ¡Es natural!
RODOLFO. ¡En qué cosas reparas!
MUCHOS. ¡Tan naturales!
RODOLFO. ¡En la policía
hay que ser criminal para fijarse!
ELOY. Yo no soy criminal y me he fijado.
RODOLFO. *(Se toquetea otra vez la cruz.)*
Y en dos deslumbradoras crucecitas,
¿reparaste quizás?
ELOY. He reparado.
RODOLFO. *(Con enorme inocencia.)*
¿De veras?
MUCHOS. ¡Ja, ja, ja! ¡Genial, Rodolfo!
ELOY. *(Se levanta.)*
También he reparado en que ha lucido
la cruz sobre el disfraz de Don Quijote.
Tal vez en el libreto así se indica.

RODOLFO. *(Molesto.)*
Era una deferencia al Presidente.
No puede comprender esas finezas
un cantante sin nombre y fracasado.
¡Qué le vamos a hacer! Sólo muy pocos
a ser buenos barítonos llegaron.

ELOY. Dando el «la» natural.

RODOLFO. ¿Qué es lo que has dicho?

ELOY. Dando el «la» natural. ¿Sabe qué es eso?

RODOLFO. *(Rojo.)*
¡Naturalmente!

ELOY. Por si lo ha olvidado,
déjeme recordarlo. Es esta nota.

(Lanza un limpio «la» natural.)

RODOLFO. ¡Eres un solemnísimo payaso!

ELOY. *(Imperturbable.)*
¿Lo puede usted cantar?

RODOLFO. *(Exaltado.)*
¡Sí, mas no ahora,
no debo destrozarme la garganta.

ELOY. Lo comprendo muy bien. Por eso manda
transportar tesituras en sus arias.

RODOLFO. *(Después de un momento de muda cólera.)*
¡No te escucharé más, pobre insolente!

(Y le da la espalda para reunirse, despreciativo, con los otros. TERESINA *se enfrenta con* ELOY.*)*

TERESINA. ¿Cómo se atreve a hablarle así a Rodolfo?

ELOY. *(Seco.)*
No intervengas en esto, chiquilina.

TERESINA. ¿Chiquilina? ¡Yo soy la «prima donna»!

ELOY. Y él el «divo». Creced. Multiplicaos.

(Vuelve a sentarse.)

TERESINA. ¿No será que las uvas están verdes?

(ELOY *sonríe y se encoge de hombros.*)

MUCHOS. ¡Ja, ja, ja! ¡Muy bien dicho, señorita!
TERESINA. ¿A qué, si no, se pone usted el yelmo?

(ELOY *la mira.*)

Todos sabemos que hizo el Don Quijote
aquí mismo, hace años, una noche...
ELOY. *(Se levanta desconcertado.)*
Ni me acuerdo de aquello.
TERESINA. *(Modela con las manos una imaginaria bacía sobre su propia cabeza.)*
¡Ni se acuerda!

(Y le vuelve la espalda para reunirse con RODOLFO, *que la sonríe aprobatorio.)*

MUCHOS. ¡Ja, ja, ja! ¡Son el diablo las mujeres!
ELOY. *(Da unos pasos hacia ellos.)*
¡Os digo que no es eso!
TERESINA. ¿Qué es, entonces?
ELOY. *(Después de un momento.)*
No echaré margaritas a los puercos.
MUCHOS. ¡Se insulta cuando faltan argumentos!
ELOY. Chillad como ratones. Yo me callo.

(Se sienta y aguanta, estoico.)

«DUQUESA». Dejadle devanar sus chifladuras.
Ninguna falta hace en nuestra fiesta.
ELOY. Quisiera yo saber qué se festeja.
APOLINAR. El honor que nos ha hecho el Presidente,
nuestra amistad, dos cruces bien gana-
el auge y la riqueza de la patria. [das,

ELOY. Dulce pintura. Sabe a caramelo.
La voy a completar, con su licencia.
Hay que pasar la noche en el teatro;
la consigna se dio hace cuatro fechas.
Desde las doce, la ciudad entera
se esconderá en las cuevas y refugios
y aprenderá a vivir como los topos
hasta que la consigna se levante.

MUCHOS. ¡Es natural y ya pasó otras veces!
Es otro ensayo de defensa atómica
contra un fingido ataque nuclear.

ELOY. Los músicos corrieron a sus casas.
El Presidente regresó a palacio.
El supuesto civil puede iniciarse:
mejor se aceptará con fiesta y risas.

MUCHOS. ¡Es cosa natural y necesaria!

ELOY. ¡Sabio gobierno, que mantiene la ópera
y concede oportunos galardones
para endulzar consignas necesarias!
Todo es claro y sencillo: precauciones,
pero ningún peligro. ¿Qué ha de haberlo,
si el mismo Presidente nos sonríe
y aplaude complacido desde un palco?

MUCHOS. ¡Naturalmente! ¿No se había enterado?

ELOY. La ciudad cierra tiendas y oficinas,
ahorra gasolina, aprende calma.
Para que la enseñanza sea completa
y nuestros nervios sepan relajarse
se oye constante ruido de explosiones
durante los ensayos de defensa.

MUCHOS. ¡Muy natural! ¡Es la pedagogía!

ELOY. Si la guerra estalló sin avisarnos
y cayeran las bombas esta noche,
continuaremos tan despreocupados
como en el popular cuento del lobo.

(Todos callan y se miran perplejos. EL ELECTRICISTA *sube del foso, enciende*

la luz roja de la barandilla y se queda mirando a ELOY. *Es un hombre maduro, con ropa de faena y gafas.)*

Calmaos. Pues tal vez estos ensayos
a otra causa obedecen, que nos callan.

MUCHOS. ¿Otra causa?

ELOY. Otra causa.

MICKY. ¿Qué otra causa?

RODOLFO. *(Sardónico.)*
¡No se lo preguntéis! ¡Los visitantes!

MICKY. Pero ¿qué visitantes?

MUCHOS. *(Con sorna.)*
¡Ah! Misterio...

ELECTRICISTA *(Mira su reloj y levanta un dedo señalando al aire.)*
Silencio, por favor. Escuchen todos.

(Suenan las doce en una torre lejana. Los seis TRAMOYISTAS *aparecen por ambos laterales y dejan doce sillas a los dos lados de la escena. Luego escuchan, inmóviles, al* ELECTRICISTA. *La música inicia un nuevo motivo.)*

SALUSTIO. El supuesto ha comenzado.

VICKY. ¿Descendemos a los fosos?

ELECTRICISTA. *(Habla siempre con leve tono sentencioso.)*
Tal vez el supuesto tenga
otra causa que nos callan.
Mas no la que Eloy supone.
El pobre sueña en fantasmas;
yo sólo creo en la ciencia.
La razón es tan segura
como la electricidad.
Quizá otra causa nos callan.

RODOLFO. ¿Qué causa es ésa?
ELECTRICISTA. La huelga.
RODOLFO. ¿Otra huelga?
ELECTRICISTA. Que el supuesto
nos oculta limpiamente,
metiéndonos en refugios.

(MARTA *reaparece por la derecha y escucha.* ELOY *se inmuta al verla.*)

Hábil gobierno, y astuto;
nos vuelve a todos huelguistas
y así la huelga no existe.
No es mal gobierno. Discurre.
Mas si a fondo conociera
la electricidad social
dominaría sus leyes
y no estallarían huelgas.
No es mal gobierno. Prospera
el país y los rebeldes
van perdiendo las razones
que tienen para agitarse.
Pero, si fuera perfecto,
el gobierno llamaría
a otros hombres que le faltan...
MUCHOS. ¿Qué otros hombres?
ELECTRICISTA. Está claro...
No hablo porque yo lo sea...
MUCHOS. ¿A quiénes llamar debiera?
ELECTRICISTA. *(Modesto.)*
A algunos electricistas.
SR. PALMA. *(Voz de, por la izquierda. Nuevo tema musical.)*
¡Dadme albricias, amigos, dadme albri-
[cias!

(Entra en escena.)

La compañía pasará el supuesto
en camerinos y en el saloncillo.
Merced especial es; no digáis nunca
que el propio Presidente la concede.
Y otra feliz noticia, reservada:
me ha dejado entender, sin afirmarlo,
que la consigna se alzará algo antes
de que comience la función mañana.

TODOS. ¡Viva, viva, viva! ¡Va, va!

SR. PALMA. Id a cambiaros, que en el saloncillo,
como especial obsequio del gobierno
y para festejar nuestras dos cruces,
una sabrosa cena nos espera.

MUCHOS. ¡Viva, viva, viva! ¡Va, va!

SR. PALMA. ¡Electricista!

ELECTRICISTA. Diga, señor Palma.

SR. PALMA. ¿Está todo dispuesto ya en el foso?
¿Abundante comida?

ELECTRICISTA. Por supuesto.
Y todas las demás comodidades
por nuestro grupo autoelectrificadas.

SR. PALMA. Pues que baje el servicio del teatro.

ELECTRICISTA. Por la otra escalerilla casi todos
bajaron ya. Sólo unos pocos faltan.

SR. PALMA. Pues que bajen y cumplan la consigna.
Usted puede venirse con nosotros.

ELECTRICISTA. Muchas gracias, señor.

(*A los* TRAMOYISTAS.)

Ya habéis oído.

(En medio de un silencio que la música subraya sordamente, los seis TRAMOYISTAS *desfilan hacia el escotillón. Música de explosiones. Los* TRAMOYISTAS *se detienen. Los cantantes se miran entre sí y miran a* ELOY. *Crepitar de disparos. La música cambia de tema.)*

ELOY. *(Para sí.)*
¿Bomba, huelga o visitantes?
Adivina, adivinanza.
SR. PALMA. ¿Qué les pasa, amigos míos?
La brigada de los ruidos
ha empezado su tarea
y educa nuestros reflejos.
MUCHOS. *(Tras un sonoro suspiro general.)*
¡Sólo es la pedagogía!
ELECTRICISTA. *(Caviloso.)*
También se oyeron disparos...
Como hay huelga...
SR. PALMA. *(Sonriente.)*
¡Son disparos
asimismo pedagógicos!
MUCHOS. ¡Sólo es la pedagogía!
ELECTRICISTA. Tal vez.
(A los TRAMOYISTAS.)
Descended al foso.

(Los TRAMOYISTAS *bajan al foso.* MARTA *titubea y mira a* ELOY, *de quien espera acaso rescatar la bacía.* ELOY *rehúye su mirada y ella opta por bajar también al foso. Cambia el ritmo musical.)*

SR. PALMA. ¡Espero a todos en el saloncillo!

(Saluda con un ademán y sale por la izquierda.)

RODOLFO. ¡A cambiarse!
BÁRBARA. *(Pese a sus años.)*
¡A cambiarse y a gozar!
RODOLFO. ¡Vamos, amigos! ¡Viva el señor Palma!

TERESINA. ¡Y Rodolfo!

MUCHOS. ¡Que vivan muchos años!

(APOLINAR *inicia la marcha. Todos van saliendo por la izquierda.)*

APOLINAR. ¡Viva, viva, viva!

TODOS. ¡Va, va!

RODOLFO. ¡La nación y la ópera prosperan,
y el amor nos concede su ventura!

TODOS. ¡Viva, viva, viva! ¡Va, va!

(Se pierden sus voces. Una nueva explosión se oye, más lejana. SIMÓN, *que no ha salido, da un respingo.* ELOY *atiende. La música se amansa y ahora es casi un susurro.* ELOY *se sienta y vuelve a apoyar su cabeza en los puños.* SIMÓN *se acerca y se sienta a su lado.)*

ELOY. Hallan lo absurdo natural y sueñan
que es bella y fuerte su ciudad podrida.

SIMÓN. ¿Por qué les canta usted tantas verda-
[des?
Le perjudica...

ELOY. Me lo ordenan ellos.

SIMÓN. ¿Los visitantes?

ELOY. Sí.

SIMÓN. *(Con leve escepticismo.)*
Verlos quisiera.

ELOY. Simón, las bombas que esta noche ex-
[plotan
podrían ser muy ciertas.

SIMÓN. ¡No me asuste!

ELOY. Su fragor es más fuerte que otras veces.
Tal vez los visitantes han llegado.

SIMÓN. ¿Lo sabe usted de fijo, o lo supone?

ELOY. *(Después de un momento.)*
Es pronto para hablar.

SIMÓN. ¡Qué va a ser pronto!
Señor Eloy, soy pobre. Yo quisiera
recordarle esta noche su promesa.
Tengo hijos y mujer, y apenas gano
para darles vestidos y comida.
Sé que no canto bien; fue por mis carnes
por lo que me eligieron para Sancho.
Poco importa, lo sé. Cuando ellos lle-
[guen,
sepa que mi ambición no es desmedida.
De esta ciudad podrida y despreciable
me conformo con ser burgomaestre.

(Da un imaginario golpe en el suelo con un bastón imaginario.)

ELOY. A cuantos creen en ellos necesitan.
Serás burgomaestre y cantaremos
al fin nuevas palabras.

SIMÓN. ¿Cantaremos?

ELOY. Son músicos, y cantan cuando hablan.
¡Ah, Simón, si pudieras comprenderlo!
Las más tremendas cosas se avecinan.
Ellos nos visitaban ya hace siglos
con sus raudos platillos voladores
y ahora aterrizarán para salvarnos
de nuestra propia insania. Quizá el cielo
está lleno a estas horas de platillos
y el gobierno nos manda a los refugios
para que lo ignoremos. ¡Vano empeño!
No saben que ya están entre nosotros.

SIMÓN. ¿Entre nosotros?

ELOY. Sin que lo advirtamos,
conviven con nosotros a millares.
Nos están estudiando. Y hay objetos

sencillos y en el fondo misteriosos
que aquí y allá nos fueron arrojados...

(Sus manos dibujan en el aire extrañas caídas.)

SIMÓN. ¿Para qué?
ELOY. Son objetos detectores.
SIMÓN. ¿Como si fueran radios?
ELOY. Más o menos.

(Confidencial.)

Uno de ellos se encuentra en el teatro.
SIMÓN. ¿Cómo lo sabe usted?
ELOY. Porque el objeto...
lo tengo en la cabeza.
SIMÓN. ¿Dentro?
ELOY. ¡Fuera!
SIMÓN. ¡Ja, ja! ¡Ja, ja! ¿El yelmo de Mambrino?

(ELOY *se descubre y sostiene la bacía con ademán solemne.*)

ELOY. Desde él te están viendo y escuchando.
Repara en su dibujo, que es la forma
perfecta de un platillo, con el cerco...,
la torreta...

(Por la escotadura.)

Y aquí, la portezuela.

(Mueve la bacía como si fuese un platillo que descendiese.)

SIMÓN. ¡Que no, señor Eloy!
ELOY. ¿No tienes ojos?

SIMÓN. ¡Su forma es de bacía de barbero!

(Le arrebata la bacía, se la adosa al cuello y finge enjabonarse.)

¡Un cacharro corriente, que hace siglos
tenía ya esta forma!

ELOY. Fue ideada
por un hábil y antiguo visitante.

SIMÓN. ¿Un barbero marciano?

ELOY. ¡Trae el yelmo!
No es para el cuello, es para la cabeza.

(Se lo quita, lo vuelve y se lo pone.)

SIMÓN. ¡Que no, señor Eloy!

ELOY. ¡Escucha, simple!
Tú vas a oír la música increíble;
la música que oigo y que me habla.

(Se descubre de nuevo.)

Si percutes en sitios diferentes
despertarás la extraña melodía.

(Percute en diferentes sitios de la bacía, que despide un sonido de latón.)

SIMÓN. Muy extraña no es... A latón suena...

(ELOY *lo mira fríamente y sigue percutiendo. De pronto, uno de los golpes despierta una nota claramente musical. La expresión de* SIMÓN *cambia bruscamente. Tres o cuatro percusiones más, y otras dos notas saltan.* ELOY *se interrumpe.*)

ELOY. Mas no sé si debiera confiarte
un secreto tan grande.

SIMÓN. *(Con las manos juntas.)*
¡Siga, siga!

(ELOY *percute. Doce notas cristalinas componen una frase sonora. Sigue percutiendo y una nueva frase se expande. Entonces separa lentamente la mano de la bacía y ésta, ante el asombro de* SIMÓN, *continúa emitiendo notas y notas en risueña catarata...* ELOY *levanta la bacía, que sigue sonando.* SIMÓN *se pasa la mano por la cara, dudando de lo que oye.* ELOY *se encaja, lento, la bacía en la cabeza; los sonidos se apagan suavemente, pero su cara se transfigura. Sigilosa,* MARTA *asoma la cabeza por la barandilla del escotillón y los mira. A poco, sube algunos peldaños más sin que ellos adviertan su presencia.* SIMÓN *se oprime los oídos, medroso.*)

Ya nada oigo.

ELOY. Yo lo sigo oyendo.

SIMÓN. *(Vuelve a refregarse la cara con las manos, se tira de las orejas.)*
¡Benditos sois, soplillos míos que oísteis!

(Bailotea, alegre.)

¡Dejen paso al señor burgomaestre!

(Deja de bailar al advertir que ELOY *está mirando fijamente a* MARTA. *De repente,* ELOY *se quita la bacía, que*

ahora está muda, y la oprime contra su pecho. Con mucha timidez, MARTA *extiende las manos.*)

MARTA. ¡Por favor!...

(ELOY *oprime aún más la bacía contra su pecho. Ella repite, en silencio, el ademán.*)

ELOY. ¡Por favor, no me lo quite!...

(Se miran unos segundos. MARTA *suspira, desciende por el escotillón y desaparece.* ELOY *se acerca a la barandilla y mira, cauteloso, hacia abajo.)*

SIMÓN. ¿Habrá notado algo?
ELOY. La más dulce
criatura del mundo.
SIMÓN. ¿Ella?
ELOY. Ella.
SIMÓN. Fea no es.
ELOY. *(Colérico.)*
¿Qué dices, insensato?
¡Ciegos tus ojos son, pues que no ad-
[vierten
la luz de una presencia sobrehumana!
SIMÓN. ¿Se refiere a esa chica?
ELOY. ¡De ella hablo!
SIMÓN. ¡Las barbas y la calva de mi abuelo!
¿Se enamoró usted de ella?
ELOY. Calla, necio.
¿Cómo te haré entender que en el teatro
nos observa también un visitante?

(Se cala la bacía.)

SIMÓN. *(Retrocede, asustado.)*
¡Señor Eloy, no lo será usted mismo!

(Cae de rodillas.)

ELOY. *(Lo levanta, misterioso.)*
Es ella.
SIMÓN. ¿Ella?
ELOY. Ella, amigo mío.
SIMÓN. *(Riendo.)*
¡Que no, señor Eloy!
ELOY. ¡Sé lo que digo!
SIMÓN. La chica es servicial y no habla mucho.
Empezó en la limpieza con la escoba
y ahora trabaja en la guardarropía.
Todos dicen que es tonta y se aprove-
[chan;
al pasar, ya le dan buenos azotes.

(Mima la acción.)

Pruebe la aventurilla, si le peta.
Todavía no es viejo.
ELOY. No profanes
con sucia lengua a una mujer tan gran-
Ella finge humildad, tolera ofensas, [de.
mas no es lo que parece. ¿No recuerdas
cuál es su nombre?
SIMÓN. Claro que sí, Marta.
ELOY. Marta viene de Marte.
SIMÓN. *(Se rasca la cabeza, perplejo.)*
Coincidencias...
ELOY. Simón, tú has escuchado el son del
[yelmo.

(Señala a la bacía y después al escotillón.)

Su música inefable me lo ha dicho.

SIMÓN. ¡Si parece imposible!
ELOY. Pues es cierto.
SIMÓN. *(Después de un momento.)*
¡Señor, Señor, qué cosa tan tremenda!
ELOY. Mayores las verás después del alba.
Y ahora, silencio.
SIMÓN. ¡Tantas emociones
hambre me han dado, y en el saloncillo
nos espera una mesa suculenta!
¿Nos vamos a cenar?
ELOY. Estoy cansado.
SIMÓN. ¡Perdóneme, pero es que muero de
[hambre!
ELOY. Pues come y sáciate. Pero ¡silencio!
SIMÓN. Callado me estaré.

(Marchándose.)

¡Señor, qué cosas!

(ELOY *lo ve partir. Luego se acerca al escotillón y mira hacia abajo. Después se aleja y se sienta, fatigado, en el escalón. La música se vuelve sigilosa y extraña; entre sus acordes se reiteran, con otros metales, las frescas melodías que la bacía emitió momentos antes. Larga pausa.* ELOY *reclinó la cabeza sobre el puño; se le cerraron los ojos. La luz baja. La bombilla roja del escotillón se apaga lentamente. Frías tonalidades ondulantes se inician en el telón del fondo, crecen hasta invadirlo y continúan durante la escena siguiente; sutiles iluminaciones caen sobre* ELOY *y sobre el escotillón. Por él suben del foso seis figuras, que se de-*

tienen un instante antes de aparecer del todo. Visten ceñida ropa de acerados destellos, fantásticos cinturones, «verdugos» rutilantes. Sobre las caras, sonrientes máscarás verdes de inmensos ojos. Después de mirar a ELOY *por unos segundos, terminan de subir y se acercan.)*

VISITANTE 1.º ¡Eloy!
VISITANTE 2.º ¡Eloy!
VISITANTE 1.º ¡Eloy!

(ELOY *alza la cabeza estupefacto, los mira y se levanta.)*

ELOY. ¿No me engaña mi mente? ¿Sois voso- [tros?
VISITANTE 1.º Ni tu mente ni el yelmo te engañaron.
Te anunciamos por él nuestra visita
y aquí nos tienes.
ELOY. ¡Gracias sean dadas!

(Se arrodilla.)

VISITANTE 4.º Eloy, levántate. No somos dioses.
ELOY. ¡Para mí sí lo sois!
VISITANTE 1.º Ven aquí, hermano.

(Lo levanta y lo abraza.)

ELOY. *(Feliz.)*
¡Hermano!...
VISITANTE 1.º De una sola raza somos.
Los humanos descienden de nosotros
y el aire que respiran es el mismo
que en nuestros dos satélites guardamos.

ELOY. ¡Silencio! Se está abriendo aquella
[puerta.

(En efecto, la puerta del camerino de SIMÓN *se abre despacio, mostrando la luz de su interior.)*

¡Aunque nadie la mueve!

VISITANTE 5.º Nada temas.

ELOY. ¿No está pasando alguien por el hueco?
Siento como si fuesen dos personas.

VISITANTE 6.º *(Mientras la puerta se cierra lentamente.)*
Nuestro poder la mueve desde lejos
mediante radiaciones que investigan
los últimos rincones del teatro.

ELOY. ¿Es vuestra la ciudad?

VISITANTE 1.º *(Señala a la puerta que se cerró.)*
Sí, de ese modo.

ELOY. ¿Cuándo la tomaréis militarmente?

LOS SEIS. Eloy, olvida esa palabra horrible.
Nosotros nada ansiamos por la fuerza.

ELOY. ¡Pero es grande el peligro, hermanos
[míos!
¡Una espantosa guerra se prepara!
¡Intervenid, o el mundo se destruye!

LOS SEIS. Para que no suceda hemos bajado.
Tal vez sea preciso que actuemos,
mas aún no es seguro que lo hagamos;
por eso hemos querido hablar contigo.
Debes estar dispuesto a grandes pruebas,
pues acaso sigamos en la sombra.
Sufre con entereza y no flaquees;
el universo entero te contempla.

ELOY. Dispuesto estoy a ello. Pero, hermanos...,
mi soledad es grande, y tan amarga...

LOS SEIS. Tú no estás solo, Eloy. Tú eres legión.

ELOY. Vosotros sois legión, mas yo estoy solo.
Ese pobre Simón, que os aguarda,
es deficiente y flojo compañero
que a mi alma no basta... Mas, silencio.
Prueba es también callar.

(Baja la cabeza, avergonzado.)

VISITANTE 1.º Tus pensamientos
leemos sin trabajo.

ELOY. ¡Perdonadlos!

VISITANTE 1.º Son nobles pensamientos. No te turbes.

(Los seis VISITANTES *se vuelven hacia el escotillón y esperan. Con los ojos bajos, sube* MARTA *por él y se detiene.* ELOY *tiembla.)*

LOS SEIS. El planeta que el hombre dice Marte
a la vida venera, no a la guerra.
Para ti bajó de él su flor más pura,
pues, en esta ciudad, sólo tú eres
digno de recogerla.

ELOY. Desfallezco...

(Los VISITANTES *lo sostienen.)*

LOS SEIS. Marta te acepta, Eloy. Ella te ama.

(El VISITANTE 1.º *llega hasta* MARTA, *la toma de la mano y la conduce junto a* ELOY, *cuya mano toma y enlaza con la de ella.* ELOY *y* MARTA *no osan mirarse. Mientras el* VISITANTE 1.º *canta, inmóvil, los otros cinco tejen alrededor de la pareja los conjuros de una danza nupcial.)*

VISITANTE 1.º ¡Que vuestros pies aromen los caminos!
¡Que un solo cristal formen vuestras [almas!
¡Que la luz del futuro os devore!
Tú eres el escogido. ¡Canta! ¡Ríe!

(Los cinco VISITANTES *se van deslizando, al terminar su danza, hacia el escotillón. Al proferir el* VISITANTE 1.º *la última de sus espaciadas invocaciones, se detienen súbitamente.)*

LOS CINCO. Dirás que al fin hemos aterrizado.
Pero tal vez sigamos en la sombra
y deberás sufrir la amarga prueba
de las horas vacías de esperanzas.

(Comienzan su descenso.)

VISITANTE 1.º *(Se encamina al escotillón con un dedo en los labios.)*
No reveles a nadie quién es ella.

ELOY. ¡Se lo dije a Simón!

VISITANTE 1.º A ningún otro.

(Se dispone a bajar.)

ELOY. ¡Hay mucha gente abajo! ¡Seréis vistos!

VISITANTE 1.º ¡No nos verán! Sabemos ocultarnos.

(Los seis VISITANTES *levantan ambas manos en rígido saludo y descienden.* ELOY *y* MARTA *siguen sin atreverse a cruzar la mirada.)*

ELOY. Marta, perdona mis cincuenta años.

MARTA. Eloy, ya nunca más te sientas solo.

ELOY. Mírame: como un niño estoy temblando
y temo para ti ser sólo un viejo.

MARTA. Mírame, Eloy. También mis manos tiem-
y anhelo para ti ser una niña. [blan

(Se miran. ELOY *la besa de pronto apasionadamente, sobre un gran estallido orquestal.)*

LOS DOS. ¡Que la luz del futuro nos devore!

(La música se amansa. ELOY *le besa entonces las manos con respeto y gratitud.)*

MARTA. Aún es temprano para nuestra dicha.
Recuerda que no debes conocerme.
Piensa que fue tan sólo un bello sueño
nuestro encuentro. Mas ya no necesitas
la voz del yelmo. Con el sueño basta.

(Le quita la bacía con suavidad.)

Dámelo ahora y seguiré cumpliendo
mis humildes deberes.

(Se encamina al lateral derecho.)

ELOY. ¡Marta, Marta!

MARTA. *(Se vuelve.)*
Ten confianza. Pronto nuestra música
inundará de paz tu bello mundo.

(Sale. ELOY *da unos pasos, mirándola alejarse, y luego vuelve a sentarse donde lo sorprendieron los* VISITANTES. *A poco, cierra los ojos y reclina la frente sobre las manos. La bombilla roja del escotillón se enciende lentamente; las*

ondas cromáticas del fondo se apaciguan, reducen y desaparecen. La música estalla en nuevos tiroteos y explosiones lejanas. ELOY *se sobresalta y levanta su rostro. Recuerda y, de pronto, se toca la cabeza, cerciorándose de que la bacía ha desaparecido. Una sonrisa feliz le ilumina sus rasgos. Con infinita devoción, mira hacia el sitio por donde* MARTA *salió poco antes. Se levanta y, apoyado en la barandilla, sigue mirando hacia el lateral. Una voz le llama desde el fondo de la sala. La música cambia su tema.)*

ISMAEL. ¡Eloy!

(ELOY *se incorpora y se vuelve, intrigado.)*

¡Eloy!

(ELOY *da, muy emocionado, unos pasos hacia el proscenio.)*

¡Eloy!...

ELOY. ¿Habéis vuelto, hermanos míos?

(Por el pasillo central avanza un hombre hacia el proscenio. Tan flaco y alto como ELOY, *cubre su descarnada anatomía con un raído abrigo. Apenas se le ve la cara bajo el viejo sombrero y la bufanda que la tapan; unas gafas de ancha montura y gruesos cristales cabalgan sobre su nariz. A la mitad del pasillo, se detiene.)*

¿No sois vosotros? ¿Quién llama?

(El hombre continúa su camino, mirando a todos lados con recelo. Cerca del proscenio, vuelve a detenerse.)

ISMAEL. Confío en que me recuerdes.
ELOY. ¡Ismael!
ISMAEL. Quisiera hablarte.

(Sube por una de las escalerillas.)

ELOY. ¡Qué alegría me da verte!

(Se abrazan.)

¡Viejo amigo!
ISMAEL. No hables alto.
Importa que no nos oigan.

(Señala a la sala por donde vino.)

¿Es la sala del teatro?

(Señala al fondo.)

La recordaba ahí enfrente.
ELOY. Ésta es la sala más vieja,
convertida en dependencias.
No temas, no hay nadie en ella.
Sólo invisibles fantasmas
o invisibles visitantes.
¿Son ellos quienes te mandan?
Lo esperaba y lo mereces.
ISMAEL. No comprendo de quién hablas.
ELOY. Ismael, no disimules.
También a mí me han hablado.
Pero tú eres más dichoso,

porque habrás visto la noche
constelada de platillos...

(ISMAEL *lo mira y se sienta, desolado, en una silla.* ELOY *va a su lado.*)

¿Qué te ocurre?

ISMAEL. Pobre amigo.
Todavía crees en ellos.
Ya me hablabas de marcianos
cuando soñábamos juntos
hace años... Tú querías
cantar. Yo quise escribir.
La juventud se ha pasado
y sólo somos dos parias:
un infeliz partiquino
y un hombre del sindicato.
Despierta, Eloy. No hay platillos
ni marcianos en la noche.
Hay disparos en las calles
y patrullas implacables.

ELOY. ¡Te digo que los he visto!

ISMAEL. Escucha, Eloy. Me persiguen,
mas he logrado burlarlos.
Si pudieras esconderme
por unos días...

ELOY. ¿Qué has hecho?

ISMAEL. Todo el cinturón fabril
de la ciudad está en huelga
y soy uno de los jefes.

ELOY. La huelga no es un delito.

ISMAEL. *(Con ironía.)*
Nuestro liberal gobierno
reconoce ese derecho.
Pero si una noche ordena
que se baje a los refugios
todo es fácil.

ELOY. ¿Qué es lo fácil?

ISMAEL. Quemar el Palacio Viejo
sin testigos en las calles,
acusar al sindicato
y atraparnos sin esfuerzo.
ELOY. ¿Eso han hecho?
ISMAEL. Si me prenden
me condenarán a muerte.
ELOY. Yo te esconderé, no temas.
Habrás de esperar muy poco.
Cuando luzca el nuevo día
cesará toda injusticia.
ISMAEL. Yo no debo aprovecharme
de tus hermosas quimeras.
Si decides esconderme
debes saber que hay peligro.
ELOY. He hablado a los visitantes.
Mas aunque ellos no vinieran
también te protegería.
Si alguien padece injusticia
deber nuestro es ayudarlo.
ISMAEL. No siempre.
ELOY. ¿Cómo, no siempre?
Tú has entregado tu vida
a los que sufren y esperan.
Por eso te admiro y quiero.
Si de organizar la huelga
a un inocente acusasen
por no poder encontrarte,
yo sé que te entregarías.
ISMAEL. No siempre.
ELOY. ¿Cómo, no siempre?
ISMAEL. Va a suceder lo que dices
y yo no he de presentarme.
ELOY. ¿Dejarías que pagase
un inocente por ti?
ISMAEL. ¡Hay millones de inocentes
y me debo a todos ellos!
ELOY. ¡Y también a cada uno!

ISMAEL. Sólo cuando sea más útil
que yo mismo.

ELOY. ¿Cómo sabes
que no lo será mañana?
¿Que no lo es ya?

ISMAEL. Si no tiene
mi responsabilidad,
no es más útil.

ELOY. ¿Y le dejas
ser torturado en tu nombre?

(Una pausa.)

¿Ejecutado en tu nombre?

(Una pausa.)

ISMAEL. También.

ELOY. ¡Has titubeado!

ISMAEL. Eloy, la acción es impura.
La injusticia es necesaria
para alcanzar la justicia.
Serás sólo un soñador
si el escrúpulo no ahogas
y a actuar no te decides.

ELOY. Actuar es esconderte
y no necesito ahogar
escrúpulos para hacerlo.

ISMAEL. Al esconderme, tú amparas
también todo cuanto hago.

ELOY. Yo no amparo tus errores
sino tus perplejidades.
Protejo al hombre que duda
y no cree en lo que ha dicho.

ISMAEL. Tampoco crees lo que dices.
La verdad, entre tú y yo
se debate desgarrada.
Me guardaré de entregarme
aunque sufra mi conciencia.

ELOY. Mi conciencia es la que ordena
que te esconda y te proteja.

ISMAEL. *(Irritado.)*
¡No sabes qué es tu conciencia!
Faro la crees, y es sólo
una suma de prejuicios.

ELOY. *(Irritado.)*
Y tú, ¿sabes qué es la tuya?
¿A qué hablas de ella, si es sólo
una suma de prejuicios?

(Pausa.)

ISMAEL. Está bien. No discutamos.

ELOY. ¿Me estás dando la razón
como a un loco?

ISMAEL. Nada de eso.

ELOY. *(Lo levanta.)*
Ven conmigo al camerino.
Allí estarás cuanto quieras
mientras ellos se presentan.

ISMAEL. ¿Quiénes?

ELOY. *(Mientras van hacia el camerino.)*
¡Nuestros visitantes!

(Abre la puerta y enciende la luz de su camerino.)

ISMAEL. ¡Cuántos libros!

ELOY. Hablan de ellos.

ISMAEL. Les echaré una ojeada.

ELOY. Yo te buscaré comida.
Descansa.

ISMAEL. ¡Sé muy discreto!

(Suenan las seis en la torre lejana.)

ELOY. Ya está pasando la noche...
Todo llegará, Ismael.

Una gran música siento
que me lo canta al oído.

(ISMAEL *lo mira, perplejo. Entran los dos en el camerino, cuya puerta se cierra. Una pausa. Vistiendo un elegante batín, pero conservando en el cuello su condecoración, entra* RODOLFO *por la izquierda seguido de* APOLINAR, *quien sigue enfundado en su sotana.* RODOLFO *se acerca al camerino de* ELOY *y escucha;* APOLINAR *se detiene en el centro del escenario.*)

APOLINAR. Después del gran festín que hemos gozado
me haría feliz el pecho hospitalario
de alguna linda chica.

RODOLFO. Tiempo tienes.

(Se reúne con él.)

La noche es larga. Vamos a gastarle
al idiota de Eloy un buen bromazo.

APOLINAR. Yo prefiero la carne...

RODOLFO. Yo la broma.

APOLINAR. ¿Qué broma?

RODOLFO. Pensaremos. ¿No has oído
al tonto de Simón sus necedades?

APOLINAR. Sandeces que le inspira el aguardiente.
Ha dicho que en el yelmo de Mambrino
se escucha un pianillo celestial.

RODOLFO. Es Eloy quien le dicta esas simplezas,
no el aguardiente. Quizá el yelmo sirva...

APOLINAR. Marta lo habrá llevado al vestuario.

RODOLFO. Hay que buscar a Marta y convencerla
de que nos dé la llave.

APOLINAR. Yo la carne
prefiero...

RODOLFO. Yo la broma. Busca a Marta.

APOLINAR. Veré si está en los fosos, que es su sitio.

(Desciende por el escotillón. Mirando al camerino de ELOY, *canta* RODOLFO, *en sigilosas melodías, su rencor.)*

RODOLFO. Bien podrás darme las gracias,
insolente botarate.
Hoy sólo llorarás burlas;
quizá mañana te aplaste.
Yo te enseñaré a vivir
si morir no quieres de hambre.
Y he de escuchar de tus labios
que soy el mejor cantante.
Envidioso, resentido,
mamarracho, miserable.

(Las explosiones de la «pedagogía» parecen responderle y él se sobresalta al pronto; luego las desdeña con un benévolo ademán, tras el que se recuesta en la barandilla. MARTA *entra por la derecha del fondo y, al verle, baja la cabeza para pasar ante él en dirección al escotillón.* RODOLFO *se incorpora sonriente y, al pasar ella, le propina un azote en el trasero.* MARTA *da un respingo y se detiene en el acto, ruborizada.)*

No me respetes tanto, palomita.
Podrías sonreírme y saludarme.

(Se acerca, pegajoso.)

¿O te has quedado muda?

MARTA. Por favor...

(Y se encamina al escotillón.)

RODOLFO. *(Le toma una mano y la detiene.)*
¿Nadie te habló de lo bonita que eres?
MARTA. Por favor...
RODOLFO. No me burlo, picaruela.
Esta noche podría ser muy bella
para nosotros dos, si tú quisieras.

(La atrae hacia la izquierda. Ella se resiste.)

MARTA. Por favor...
RODOLFO. Déjame ser tu Rodolfo.

(Por el camerino de SIMÓN.)

Ahora no hay nadie en ese camerino
y nadie lo sabrá. Dulce secreto
entre nosotros dos. ¿No lo esperabas?
¿No te atrevías a soñar conmigo?
¡Rodolfo Kozas es halcón amante
que desciende hasta ti!
MARTA. ¡Por favor...
APOLINAR. *(Que subía del foso, los mira.)*
¡Carne!
RODOLFO. Si aprendieras a no ser importuno...
APOLINAR. *(Sube.)*
En balde te buscaba yo, pequeña.
RODOLFO. Si quisieras marcharte a los infiernos...
APOLINAR. *(Señala al foso.)*
Ya los he visitado. Muchas gracias.

(Se acerca.)

¿Le ha pedido la llave a la chiquita?
RODOLFO. ¿La llave?
APOLINAR. ¡Qué malísima memoria!

(A MARTA.)

Tenemos que buscarle al señor Palma
ciertos objetos en el vestuario.
Conque venga la llave.

RODOLFO. Nada temas.
Yo salgo responsable.

APOLINAR. Ya lo oyes.

(Tiende la mano.)

Te la devolveremos sin tardanza.

(MARTA *titubea, pero saca la llave de su bolsillo.* APOLINAR *se la arrebata.)*

RODOLFO. Gracias. Puedes bajar de nuevo al foso.

APOLINAR. No es necesario que nos acompañes.

(MARTA *se encamina al escotillón, no muy convencida. Al pasar junto a* APOLINAR, *le da éste un cariñoso azote en el trasero.)*

MARTA. ¡Por favor!

APOLINAR. Por favor, déjanos solos.

(MARTA *empieza a bajar y se vuelve con una muda súplica en los ojos.)*

RODOLFO. Te buscaré más tarde, linda niña.

(Le envía un beso. MARTA *desaparece.)*

APOLINAR. Precisamente linda...

RODOLFO. Pues no es fea.

APOLINAR. ¡Es usted Juan Tenorio redivivo!

RODOLFO. *(Suspira.)*
La carne es bella...

APOLINAR. También lo es la broma.

RODOLFO. ¡Amigo Apolinar, viva la broma!

(Le indica la derecha. Caminan los dos hacia allá con cautelosos pasos, y la música se vuelve repentinamente ligera y juguetona. VICKY *aparece por la izquierda y los mira a hurtadillas. Viste un jersey muy ceñido y un corto pantalón blanco que deja ver sus deliciosas piernas.)*

VICKY. ¡Qué larga es la noche!
¿Quién me distraerá?

(RODOLFO *y* APOLINAR *se detienen, electrizados por el tono de la voz.)*

RODOLFO. ¡La carne!
APOLINAR. ¡La carne!
LOS DOS. ¡Qué hermosa que está!

(Se acercan a ella. VICKY *sonríe y avanza, fingiendo no verlos.)*

VICKY. ¡Qué noche tan larga!
¡Cuánta soledad!
RODOLFO. (*A* APOLINAR.)
Vete al vestuario
y espérame allá.
APOLINAR. Vaya usted, Rodolfo.
Yo tengo que hablar
con Vicky un momento...
RODOLFO. Ella quiere hablar
conmigo. Está claro.
APOLINAR. Muy claro no está.
RODOLFO. (*Se acerca a* VICKY.)
Vicky encantadora...

APOLINAR. (*Se acerca a* VICKY.)
Muchacha sin par...

LOS DOS. ¡Qué larga es la noche!
¡Cuánta soledad!

VICKY. Muy acompañada
me voy a encontrar...

APOLINAR No tengas cuidado.
Rodolfo se va.

RODOLFO. (*La atrae hacia sí.*)
No penes, hermosa.
Se va Apolinar.

APOLINAR. Dilo tú, tesoro.
Di tú quién se irá.

(TERESINA *apareció por la izquierda y mira, despechada, a* RODOLFO. *Viste ahora pantalones de fantasía y una blusa rutilante.*)

TERESINA. ¡También yo pregunto
quién se marchará!

(*Contrariada,* VICKY *echa a correr, cruza a su lado y sale por la izquierda.*)

APOLINAR. Lo siento, Rodolfo.
Yo me voy detrás.

(RODOLFO *suspira, resignado.* TERESINA *avanza, fijos en él los ojos.* APOLINAR *da un rodeo hasta ponerse a espaldas de los dos y desde allí los bendice irónicamente.*)

Creced, hijos míos,
sin multiplicaros.

(*Se va por la izquierda. En el telón del fondo se proyecta una vieja y sun-*

tuosa decoración palatina abundante en columnas y escalinatas, pintada al estilo de las óperas del siglo XIX. La música se vuelve tonal y romántica.)

TERESINA. ¡Ingrato, me has partido el corazón!
RODOLFO. ¡Mi dueña, sufres una confusión!
TERESINA. ¡Déjame sola con mi gran dolor!
RODOLFO. ¡No dudes nunca de mi ardiente amor!
TERESINA. Tu amor es inconstante y embustero.
¡Sólo un juguete he sido para ti!
RODOLFO. Te juro, amor, que sólo a ti te quiero
y que sin ti preferiría morir.
TERESINA. ¡Por piedad, no más torpes juramentos!
¡Da descanso a este pecho que besaste,
con el áspid terrible de un puñal!
RODOLFO. ¡Amada niña de mis pensamientos!
¡Con tus duras palabras tatuaste
del dolor en mi pecho la señal!
TERESINA. ¡Ciega quisiera estar! ¡Vivir no ansío!
RODOLFO. ¡Yo no te he traicionado, cielo mío!
¡Por el Dios que nos oye te lo juro!
TERESINA. *(Arrobada.)*
¡Miente, miénteme así, pues lo prefiero!

RODOLFO. *(Se acerca.)*
¡Mi corazón es tuyo por entero!
¡Devóralo como a un panal maduro!

(Explosiones. La música se interrumpe al tiempo. La expresión de ambos cambia: se torna reflexiva, desencantada. Se miran perplejos, extraños. Pero la música tonal se reanuda y sus caras vuelven a sonreír.)

Perdona a este contrito pecador
sus veleidades y su ligereza.

Pero no desconfíes de su amor.

(La abraza.)

¿Me perdonas?

TERESINA. ¡Rodolfo!

(Le acaricia, apasionada, la condecoración.)

RODOLFO. ¡Teresina!

(Se encaminan hacia el camerino de SIMÓN. *Mimosa, ella no suelta la cruz.)*

LOS DOS. La noche nos reserva su dulzor.
He (has) de libar tus (mis) labios de [princesa
y comulgar tu (mi) cuerpo con fervor.

(Tenía ya RODOLFO *la mano en el pestillo durante las últimas notas. La música tonal se extingue y el fastuoso salón pintado de la vieja ópera se borra lentamente. La puerta del camerino se abre de pronto,* RODOLFO *se tambalea por el impulso y aparece* PEDRO, *algo turbado, terminando de abrocharse.* MICKY *casi lo empuja para salir del camerino, y emite tras él un musical gritito cuando ve a la otra pareja.)*

PEDRO. Estábamos aquí curioseando
las fotos que Simón tiene clavadas.

RODOLFO. Lo mismo, casualmente, le propuse
yo a Teresina...

PEDRO. Claro.

MICKY. Claro.

TERESINA. Claro.

(Sonrisas.)

MICKY. Es tan larga la noche...
PEDRO. Ya nos vamos.
TERESINA. No. Nos vamos nosotros.
RODOLFO. Sí. Nosotros.
MICKY. No. Nosotros.
RODOLFO. Nosotros.
PEDRO. No. Nosotros.

(Explosiones. Sonrisitas en los cuatro.)

LOS CUATRO. ¡Es la pedagogía!
MICKY. ¡Claro!
TERESINA. ¡Claro!

(Se oyen risas y el barullo de gente que se acerca. Vienen diciendo lo mismo.)

VOCES MASCULINAS.
¡Es la pedagogía!
SIMÓN (VOZ DE).
¡No, señores!
VOCES FEMENINAS.
¡Es la pedagogía!
SIMÓN (VOZ DE).
¡No, señoras!

(Las dos parejas atienden. El ELECTRICISTA *entra el primero con cara de enfado, aparta una silla de la derecha y, meneando la indignada cabeza, se sienta de cara al proscenio y cerca del escotillón.)*

RODOLFO. *(Se le acerca.)*
¿Le sucede a usted algo, electricista?
ELECTRICISTA. ¡Sucede que Simón está borracho
y que no me divierten estas bromas!

VOCES MASCULINAS.
¡Paso al gobernador de los alcoholes!
VOCES FEMENINAS.
¡Paso a las más enormes tragaderas!

(Rodeado por toda la Compañía, que se puso vestidos ligeros y cómodos para la velada, entra SIMÓN *a hombros. De beodo que está, ni ve. Botella en una mano; plato de sabrosas gollerías en la otra.* PEDRO *se apresura a apagar la luz del camerino de* SIMÓN *y a cerrar su puerta. Explosiones.)*

TODOS. ¡Es la pedagogía!
SIMÓN. ¡No, señores!
¡Son mis buenos amigos los marcianos!
Ellos me nombrarán burgomaestre
de esta ciudad, y mandaré en vosotros.
RODOLFO. ¿Quién te metió ese infundio en la ca-
[beza?
SIMÓN. Se me ha ocurrido a mí, que soy muy
[listo,
porque sé que el que a buen árbol se
[arrima...

(ELOY *salió de su camerino, cuya puerta ha cerrado. Recostado contra el muro y cruzado de brazos, escucha a todos con frialdad.)*

RODOLFO. (*Que advierte su presencia, a* SIMÓN.)
¡Pobre infeliz, tu árbol está seco!
SIMÓN. Lo regaré con vino generoso.
MUCHOS. ¡A beber! ¡A beber!
SIMÓN. Bajadme a tierra.

(Lo sientan en los escalones.)

RODOLFO. *(A su lado.)*
Regüelde y sáciese, burgomaestre.
SIMÓN. *(Mientras come.)*
¡Guarde silencio!
RODOLFO. ¿No nos da su venia?
SIMÓN. Inútil que lo pida, señor mío.
A usted yo no le nombro concejal.
HOMBRES. ¡Qué ingratitud!
MUJERES. ¡Qué pena!
TODOS. ¡Qué tristeza!
MICKY. ¡Todos le suplicamos sus favores!
TERESINA. ¡Beba un poquito más, burgomaestre!
SIMÓN. Una excelente idea. Ya se sabe:
Donde no hay vino, corazón mohíno.

(Se dispone a beber.)

EFRÉN, SALUSTIO, ARÍSTIDES. *(Susurran.)*
¡Es la cuarta botella!
«DUQUESA», BÁRBARA, 1.ª MOZA DEL PARTIDO. *(Susurran.)*
¡Qué garganta!
VICKY. *(A la que* APOLINAR *importuna en vano desde que entraron.)*
Si en amor es igual, hay que pensarlo.

(ELOY *se acerca entre tanto a* SIMÓN. *Con duros ojos, le arrebata el plato y le quita la botella de los labios.* SIMÓN *no sabe lo que le pasa.)*

SIMÓN. ¿Por qué?
RODOLFO. ¿Por qué? También yo lo pre-
[gunto.
ELOY. Porque puede morir de beber tanto,
mientras vosotros lo tomáis a risa.

(Regresa a su camerino y entra, cerrando.)

RODOLFO. ¡Aguafiestas!...
SIMÓN. *(Se mira las manos vacías.)*
Han sido los marcianos.
APOLINAR. Ellos no pueden ser, burgomaestre.
Están en un planeta muy distante.
SIMÓN. Cállate, cura. Tú no sabes nada.

(Risas. ELOY *sale de su camerino, echa la llave, se la guarda y vuelve a recostarse contra el muro. Explosiones.)*

¿No los oís?
TODOS. ¡Es la pedagogía!
SIMÓN. Si nos autorizaran a asomarnos
veríamos platillos y platillos
semejantes al yelmo de Mambrino.
ELOY. Calla, Simón.

(Todos lo miran.)

RODOLFO. ¿Qué imbécil te lo ha dicho?

(Lo empuja levemente, con desdén.)

SIMÓN. Estos soplillos míos, que escucharon
tocar a la Sinfónica de Marte.
RODOLFO. ¿Cómo?
SIMÓN. Nos han mandado un pianillo...
ELOY. ¡Calla, Simón!
ELECTRICISTA. Inútil. Ya lo dijo.
ELOY. ¿Cuándo?
ELECTRICISTA. Nos lo explicó mientras cenaba.

*(*SIMÓN *recomienda silencio con un dedo en los labios.)*

SIMÓN. ¡A nadie se lo digan! ¡Es secreto!

ELOY. ¡Es la verdad!
RODOLFO. *(Riendo y sin mirarlo.)*
¡Seguro! ¿Quién lo duda?
ELECTRICISTA. *(Por* ELOY.)
¿Por qué se burlan de este pobre iluso?
Lo que usted dice, Eloy, es imposible.
Complejos y potentes receptores
harían falta para captar músicas
marcianas, si es que hay músicas mar-
[cianas;
no una simple bacía de barbero.
ELOY. Electricista, vuelva a su cabina.
No pontifique usted de lo que ignora.
Los libros que le inspiran, titubean;
no los recite igual que un papagayo.
ELECTRICISTA. ¿Papagayo?
ELOY. Mejor dijera acólito
que lanza excomuniones a beatas.
El que ignora que ignora no es un sabio:
no es más que un sacristán del magne-
[tismo.

(Risas disimuladas.)

ELECTRICISTA. *(Se encoge de hombros.)*
Me olvidaré de sus impertinencias.
RODOLFO. *(Con desprecio, sin mirar a* ELOY.)
Quizá Eloy piense que las musiquillas
que él cree escuchar, son las que le
[convierten
en un hombre tan puro y tan sincero.
ELOY. No llego a tanto aunque ellos me lo
[ordenan.
RODOLFO. A muchos pobres diablos torturaron
exquisitas personas con el alma
colmada de la música más bella.
ELOY. Eran otras personas. Y otra música.
ELECTRICISTA. *(A* RODOLFO.)
Inútil que le hable. De remate.

ELOY. ¡Apercibíos todos! Han llegado
y saben lo que encierran nuestras
[mentes.

SIMÓN. *(Borracho perdido.)*
Ellos lo saben todo en su grandeza.
Son como dioses. Cantan cuando ha-
[blan.

(Risas.)

RODOLFO. *(Lo empuja, conteniendo mal su excitación.)*
¿De veras? ¿Qué chiflado te lo ha dicho?

ELOY. ¡Reíd, reíd! ¡También lo hacéis can-
[tando!

VARIOS. ¿Cómo? ¿Qué dice? ¿Que al reír can-
[tamos?

ELOY. *(Se incorpora y avanza unos pasos.)*
Nos están invadiendo los efluvios
de nuestros sigilosos visitantes
y al hablar entonamos raros cantos.
Quieren salvar a todos con su música
y somos ya organillos que ellos pulsan.
Pero no lo advertís.

(Todos se miran, sorprendidos.)

TERESINA. ¡Si no cantamos!

ELOY. *(A todos.)*
¿Lo ha dicho o no cantando?

TERESINA. ¡No con música!

ELOY. Con otra sutil música que ignoras.

(Vuelven a mirarse todos con una punta de inquietud.)

MICKY. *(Dudosa.)*
¿Cantamos?

VICKY. Sí parece...

ELECTRICISTA. ¡No enloquezcan!

Es la deformación profesional;
las voces engoladas de la ópera.

ELOY. Pero usted no es cantante y también [canta.

ELECTRICISTA. Igual que los demás, engolo un tanto
por llevar muchos años entre ustedes.

ELOY. ¡Abandonaos a la extraña música
que pugna por nacer de vuestras bocas!
Nos han mandado a quienes nos vigilan
y viven confundidos con nosotros.
Ignoráis que nos hablan cada día
bajo las más humildes apariencias.
La portera, el obrero, la maestra
de vuestros hijos, pueden ser marcianos.
¡Y en el mismo teatro puede haberlos!

(MARTA *asoma por el escotillón durante las palabras anteriores.* ELOY *no la ve, pero intuye su presencia y se turba.*)

Mas de esto no he de hablar.

«DUQUESA». ¿En el teatro?

MICKY. *(Con nerviosa risa.)*
¡Jesús, qué horror!

BÁRBARA. ¡Nos va a poner nerviosos!

(Pausa.)

2.ª MOZA DEL PARTIDO.
¡No nos diga que están entre nosotros!

(Pausa.)

SIMÓN. Pues los hay. Yo vi uno.

ELOY. ¡Ten la lengua!

SIMÓN. *(Risueño.)*
No se puede creer, pero es muy cierto.
Si supieran quién es...

ELOY. *(Fuerte.)*
¡Guarda silencio!

(Se miran los dos. SIMÓN *baja los ojos. Un silencio.)*

ELECTRICISTA. *(A* MARTA.)
Y tú, ¿qué haces aquí? Nadie te llama.

MARTA. *(En un susurro.)*
Por favor...

RODOLFO. *(A* SIMÓN)
Borrachón, suelta el secreto.
Revélanos quién es el visitante.

(MARTA *y* ELOY *miran fijamente a* SIMÓN, *que los mira y calla.* RODOLFO *se enardece.)*

¡Dínoslo, damajuana! ¡Dilo, asno!

(SIMÓN *lo mira, amedrentado, pero no responde.* RODOLFO *lo empuja con fuerza.)*

¡Rebuzna entre tus dientes amarillos!

(Le da un puntapié. El terror desorbita los ojos de SIMÓN.)

¡Dilo!

(Puntapié más fuerte.)

¡Suéltalo ya!

(Puntapié brutal.)

¡Confiesa, bestia!

(SIMÓN *llora en silencio.* RODOLFO *lo derriba de un feroz puntapié.)*

¡Confiesa que un jumento te ha em-
[baucado!

(El ELECTRICISTA *no disimula su disgusto. Los demás se miran, incómodos.* ELOY *se acerca a* RODOLFO, *que está rojo de excitación, y repite con duros ojos cierta estrofa no ha mucho oída en los labios del «divo».)*

ELOY. A muchos pobres diablos torturaron
exquisitas personas, con el alma
colmada de la música más bella.

(Y, sin pausa alguna, eleva su larga zanca y arrea a RODOLFO *tan descomunal puntapié en el vientre, que lo derriba. El* ELECTRICISTA *se levanta.)*

MUCHOS. ¡No es posible!
TERESINA ¡Rodolfo!
ELECTRICISTA. ¡Calma, calma!

(APOLINAR *y* PEDRO *levantan a* RODOLFO. TERESINA *lo abraza. Todos lo rodean, solícitos.* ELOY *se inclina e incorpora a* SIMÓN.)

ELOY. Vete a dormir, Simón.

(SIMÓN *deniega.*)

TERESINA. (*A* ELOY.)
¡Bruto! ¡Pedante!
APOLINAR. (*A* RODOLFO.)
¿Se encuentra bien?
BÁRBARA. ¿No se hizo ningún daño?

TERESINA. *(Mientras acaricia a* RODOLFO.*)*
¡Mañana exigiremos que lo echen!

*(*RODOLFO *se desprende.* ELOY *se incorpora y lo mira con frialdad.* APOLINAR *y* PEDRO *sujetan a* RODOLFO.*)*

RODOLFO. *(Se los sacude.)*
¡Soltadme! Yo no voy a rebajarme
a estas brutalidades de taberna.
ELOY. *(Irónico.)*
Los puntapiés, Simón, los has soñado.
RODOLFO. Nada me hieren torpes ironías.
Has cometido un acto subversivo
contra este pecho que han condecorado
y pagarás por ello.
ELOY. Se equivoca
de región anatómica. Fue el vientre.
RODOLFO. ¡Ya te arrepentirás!

(Inicia la marcha, muy digno, hacia la derecha.)

APOLINAR y PEDRO.
Le acompañamos.
RODOLFO. Sólo vosotros dos.
TERESINA. ¡Quiero ir contigo!
RODOLFO. *(Deniega.)*
Divertíos sin mí, fieles amigos.
Disfrutad de la noche todavía.
BÁRBARA. ¡Qué inmenso corazón!
MUCHOS. ¡Es admirable!

(Al pasar RODOLFO *y sus acompañantes ante* MARTA, *termina ésta de subir del escotillón y los interpela a media voz.)*

MARTA. ¡Por favor!...

(Ellos se detienen y la miran, sorprendidos.)

APOLINAR. *(A media voz.)*
Por favor, no más favores.

(Salen los tres por la derecha. Una pausa. El ELECTRICISTA *torna a sentarse.* MARTA *inclina la cabeza y desciende lentamente al foso.* VICKY *se sienta; otros la imitan.)*

VICKY. Y ahora, ¿qué hacemos?

(ELOY, *que miraba descender a* MARTA, *se vuelve.)*

ELOY. Disponer el ánimo
para el Juicio Final.

BÁRBARA. ¡Cállese, hombre!

(Se sienta.)

ELOY. Ya no puedo callar. Me han ordenado
que anuncie su llegada. Temblad todos.
Ningún daño reservan a los cuerpos
mas sí el espejo de una gran vergüenza.
Hemos creado un mundo agusanado
y en su bondad, acceden a heredarlo
para salvarnos de la helada selva
donde nos debatimos como sierpes.
Mas no todos podrán cantar con ellos...
¡Veo! ¡Veo, ay dolor! Lívidos cuerpos
se balancean, cuelgan de las ramas
en nudos que ellos mismos habrán hecho
después que los enfrenten al espejo
donde verán la imagen que ocultaban.

Preparaos, amigos. Aún es tiempo.
Muy breves son las horas que nos restan
para poner en los marchitos rostros
la claridad de una sonrisa nueva.

ELECTRICISTA. Sus palabras son bellas, pero falsas.
Nadie nos mira, nadie nos vigila
y nunca hubo marcianos; sólo el campo
de la electricidad inagotable
que formó estrellas y hombres. Elec-
[trones.
Y nuestra mente, eléctrica asimismo,
conociendo mejor a cada hora
la energía que mueve al universo.
No hay misterios, Eloy, y está usted solo.
Acompañado de alucinaciones
como buen solitario, pero solo.

ELOY. ¿Solo? ¡Yo no estoy solo, electricista!
Millones de presencias siderales
alimentan mi afán. ¡Yo soy legión!
¡Advierta cómo cantan por mi boca!
Humildemente pertenezco al coro
unánime que ha de cantar mañana
y que ya canta ahora: ¡Soy legión!

(*Su voz, multiplicada crecientemente, parece cada vez más la de un coro innumerable de gargantas idénticas a la de* ELOY.)

¡Legión! ¡Yo soy legión! ¡Yo soy legión!

(Todos se rebullen, inquietos, bajo la enorme voz múltiple.)

ELECTRICISTA. *(Turbado por la inquietud general, pero sin rendirse.)*
¡Señores, no se asusten! Canta fuerte

(Sus manos accionan.)

y la excelente acústica del sitio
le refuerza la voz...

ELOY. *(Su voz multiplicada.)*
¡Es la voz de ellos!

VICKY. *(A* MICKY.*)*
Fuerte también gritó el electricista
y no sonó lo mismo...

ELOY. *(Su voz multiplicada hasta volverse casi intolerable.)*
¡Soy legión!

(Tras la resonancia, silencio absoluto.)

BÁRBARA. No me encuentro muy bien. Adiós, se-
[ñores.

(Nadie responde. Ella inicia la marcha, pero se detiene ante la repentina zarabanda de las luces. La bombilla roja del escotillón parpadea; los varales y focos se encienden y apagan, pero la claridad es cada vez más intensa. BÁRBARA *se santigua.)*

TERESINA. ¿Qué es esto?

BÁRBARA. ¡Dios del cielo!

«DUQUESA». ¿Nos quemamos?

(El ELECTRICISTA *se levanta y mira hacia la invisible y alta cabina de mandos que se supone a la derecha.)*

ELECTRICISTA. ¿Quién está en la cabina?

ELOY. *(Su voz multiplicada.)*
¡Nadie humano!

ELECTRICISTA. *(Se refriega los ojos.)*
¡Esto no puede ser!

ELOY. *(Su voz multiplicada.)*
¡Pero es un hecho,
aunque tu pobre ciencia no lo entiende!

(Gran explosión en la calle, a la que siguen vivísimas oscilaciones luminosas en el escenario, que terminan en una deslumbradora iluminación general. Las mujeres gritan. SIMÓN *se levantó también, bruscamente sereno. El* ELECTRICISTA *no sabe qué hacer. La orquesta calla de repente. Se oyen cantos tras el telón del fondo, emitidos por dos voces de raro timbre metálico.)*

LAS DOS VOCES.
Es verdad. Hemos llegado.
La ciudad nos pertenece.
MUCHOS. ¡No! ¡No! ¡Piedad! ¡No es posible!

(Súbito pánico acomete a todos mientras profieren estos gritos; algunos bajan por las escalerillas frontales y se detienen, empavorecidos; otros se atropellan para bajar al foso; otros buscan los más alejados rincones. La espantada es general. Incluso el ELECTRICISTA *echó a correr y se para, horrorizado, a la mitad de la escalerilla derecha.)*

LAS DOS VOCES.
¡Levantad ese telón
y que no se escape nadie!
ELOY. *(Con su voz natural, a* SALUSTIO.*)*
Obedécelos, Salustio.
Y vosotros, acercaos.

¡Recibamos con modestia
a tan altos visitantes!

(Los fugitivos vuelven, de mala gana, al escenario. SALUSTIO *sale por la derecha, tembloroso. La música lanza sobrecogedores acordes. El telón empieza a levantarse. En el oscuro patio de butacas del fondo destacan, a la luz del escenario, dos extrañas figuras. Trajes que recuerdan vagamente a los de los astronautas; altas escafandras opacas, con fina ranura a la altura de los ojos y curiosa bocina más abajo. Los gritos de la Compañía estallan sobre la música. Las dos figuras avanzan y empiezan a subir por dos invisibles escalerillas simétricas de las que hay delante.* ELOY *se arrodilla, conmovido.* SIMÓN *titubea, se acerca y se arrodilla detrás de él. El telón del fondo está alzándose todavía cuando se corren, delante, las*

CORTINAS

PARTE SEGUNDA

(Música. Gritos de espanto, antes de que se descorran las cortinas, que culminan en un estridente acorde coral. Las cortinas se descorren. El telón del fondo está terminando de alzarse. Arrodillados, ELOY *y* SIMÓN *aguardan la llegada de los dos nuevos visitantes. Las dos* FIGURAS *terminan de subir al escenario, empuñando desconocidas armas de mano. Una leve vacilación se desliza en sus metálicas voces al articular las palabras.)*

FIGURA 1.ª ¡Volved a bajar la tela!

(*A* ELOY.)

Levántate, animal flaco.

FIGURA 2.ª (*A* SIMÓN.)
Levántate, animal gordo.

(ELOY *y* SIMÓN *se levantan, atónitos. El telón del fondo vuelve a bajar.*

FIGURA 1.ª (*A* ELOY.)
A los que marcianos llamas
ya no debes esperarlos.
Barridos son de este suelo.

FIGURA 2.ª De otro planeta venimos
al que Júpiter llamáis
y no tendremos clemencia.

ELOY. ¡No es posible!

FIGURA 1.ª Sí es posible.
Sal a la calle y verás
a tus amigos marcianos
colgados como racimos
en los tilos del paseo.

ELOY. ¿Por qué?

FIGURA 1.ª Porque somos fuertes,
y queremos su planeta.
Nuestras escuadras volantes
lo atacan también ahora.
Dominaremos en Marte
como en la Tierra.

ELOY. ¡Mentira!

FIGURA 2.ª ¿Mentira? ¿Qué imaginabas?
¿Todo el cosmos entregado
a tus blandos sentimientos?
No es así nuestro universo.
Entre sí luchan los mundos
igual que los electrones
y no hay futuro en el tiempo
para alimañas tan flojas
como tú.

ELOY. ¿Floja alimaña?

FIGURA 1.ª Lo sois todos los humanos.
Destruiros no es preciso
pues vuestra técnica es pobre.
Seréis animales nuestros
y tendréis vuestro pesebre.

ELOY. ¡No haréis eso con los hombres!

FIGURA 2.ª ¿Por qué no?

FIGURA 1.ª Sí que lo haremos.

ELOY. ¡Os vencerán los marcianos!

FIGURA 1.ª Los de Marte son tan flojos
como tú. Muy mal pelean.

ELOY. ¡Otra fuerza nos posee!
¡Somos legión!

(Mira al vacío, esperando una resonancia que ahora no se suscita.)

¡Legión somos!

(MARTA *reaparece en el escotillón y se lleva las manos a la boca, asustada. Una profunda mirada se cruza entre ella y* ELOY. *A poco, ella se sienta en los peldaños y sigue, con los ojos espantados, las incidencias de la escena.*)

FIGURA 1.ª Legión sois, pero de enfermos.
Advierte cómo las otras
alimañas se disponen
a humillarse ante nosotros.
MUJERES. ¡No lo duden! ¡Sí, sí! ¡Cierto!
ELOY. Yo no.
FIGURA 2.ª Porque tú estás loco.
HOMBRES. ¡Está loco! ¡De remate!
FIGURA 1.ª Probarás tu valentía
viniéndote con nosotros.
ELOY. ¿A dónde?
FIGURA 1.ª Ya lo sabrás.
ELOY. Pues vamos.
FIGURA 2.ª (*A* SIMÓN.)
También tú vienes.
SIMÓN. ¡Yo, de ninguna manera!

(Escapa, pero sus mismos compañeros lo sujetan hasta que la FIGURA 2.ª *lo aferra.)*

FIGURA 2.ª ¿Abandonas a éste otro?
SIMÓN. En nada puedo ayudarle
y me encuentro muy cansado.

FIGURA 1.ª ¿No eres su amigo?
SIMÓN. No mucho.
FIGURA 1.ª Mientes. Nosotros sabemos.
Prepárate a acompañarnos.
A los dos os vendaremos
los ojos, para que el susto
de lo que pudiérais ver
no os destruya.

(Las dos FIGURAS *sacan dos anchas vendas negras y se disponen a vendarlos.)*

SIMÓN. ¡Madre mía!
¡Como en un fusilamiento!
ELOY. Yo nada temo.
FIGURA 1.ª No importa.
Escucharás solamente.

(Los vendan. SIMÓN *cae de rodillas.)*

SIMÓN. ¡Piedad!
FIGURA 2.ª Palabra cobarde
que detestamos. ¡Levanta!

(SIMÓN *lo hace en el acto.*)

FIGURA 1.ª (*A* ELOY.)
Y tú, que ignoras el miedo,
dame tu mano y camina.

(ELOY *extiende su mano y la* FIGURA 1.ª *se la toma. La* FIGURA 2.ª *toma a* SIMÓN.)

FIGURA 2.ª ¡Seguidnos sin resistencia!

(Los llevan a una de las escalerillas frontales, por la que empiezan a bajar.)

SIMÓN. Por su mal naciéronle alas
a la hormiga.

FIGURA 2.ª ¡No murmures!

(Pausa. Ya en el patio de butacas, las dos FIGURAS *los conducen dando vueltas y revueltas por los pasillos.)*

SIMÓN. ¿Puedo saber... dónde vamos?

FIGURA 1.ª Al espacio, en nuestra nave.

SIMÓN. *(Lo piensa.)*
¡Hará frío!

FIGURA 1.ª Sólo un poco.

(Entretanto, algo curioso sucede en la escena. Atemorizados, todos vieron partir a las dos parejas; ahora la luz del escenario baja de pronto y lo deja en misteriosa penumbra. Todos gritan; algunos se dan de nuevo a la fuga. Las parejas se detienen en el patio de butacas y la FIGURA 1.ª *se vuelve.)*

¡Nadie escape!

SIMÓN. ¡No escapamos!

FIGURA 2.ª No es a ti, sino a las otras
alimañas a quien hablo.

(Todos están paralizados por el miedo en el escenario. Las dos parejas prosiguen su marcha. Corriendo y lleno de maliciosas sonrisas entra entonces por la derecha del fondo APOLINAR. *Bajo el brazo trae algunas linternas eléctricas; con el dedo en los labios recomienda sigilo. Todos lo miran, sorprendidos por su regocijo. En el centro de la escena, pide él a todos*

que se aproximen. SALUSTIO *reaparece por la derecha y se acerca también, intrigado.)*

SIMÓN. ¿Viaje largo?...

FIGURA 1.ª No preguntes.

(Menos MARTA, *se apiñan todos en escena alrededor de* APOLINAR *y, sobre los murmullos de la música, bisbisea él sus murmullos. Señalando a las parejas, formula divertidas negativas e inaudibles comentarios, que provocan un suspirado «¡Ah!» general en el que se disuelve el miedo y por el que todos muestran su decepcionada comprensión de lo que sucede.)*

SIMÓN. ¿Qué ruido es ése?

FIGURA 2.ª Silbidos
de nuestro campo magnético.

(Señalando a la invisible cabina de luces, el ELECTRICISTA *pregunta algo con muy mala cara a* APOLINAR, *quien asiente sonriendo y suplica perdón con ademán contrito. Colérico, el* ELECTRICISTA *levanta el puño, pero lo sujetan, mientras suena el suspiro de un «¡No!» general.* SIMÓN *se detiene. Indignado, el* ELECTRICISTA *va a hablar. Pero todos, con el dedo en los labios, sisean y le ruegan silencio con mudos gestos, indicando a los vendados.)*

SIMÓN. ¿Otra vez el magnetismo?

FIGURA 2.ª La nave se halla muy cerca.

(El ELECTRICISTA *se aparta con un mal gesto y se sienta en su silla.* APOLINAR

instruye en voz baja a los demás y reparte las linternas. Se levanta el susurro de una general carcajada contenida.)

SIMÓN. ¡Qué magnetismo más raro!
Parecen voces humanas.
FIGURA 2.ª Es nuestra radio, que capta
los mensajes de los mundos.

(APOLINAR *corre a un lado, toma dos sillas y las sitúa, algo separadas, en el centro de la escena. Luego designa a* EFRÉN, *a* ARÍSTIDES, *a* SALUSTIO *y al* MOZUELO, *y les explica algo.*)

SIMÓN. ¿Volveremos?
FIGURA 2.ª Los insectos
como tú nada merecen.

(*Los cuatro designados ensayan levantando las sillas y bajándolas suavemente.* APOLINAR *lo aprueba y apremia a los demás, que se sientan en las otras sillas, en los escalones o sobre el suelo, conteniendo la risa. Tras diversas evoluciones, las parejas de la sala se encuentran ahora junto a la otra escalerilla que conduce al escenario. La* FIGURA 2.ª *empieza a subirla, tirando de* SIMÓN.)

SIMÓN. ¿Estamos en el platillo?
FIGURA 2.ª Así lo llamáis vosotros.
SIMÓN. ¡Madre mía!
FIGURA 2.ª (*Tira de él brutalmente.*)
¡No te pares!

FIGURA 1.ª (*A* ELOY, *subiendo tras los otros.*)
¿Tú no tiemblas?

ELOY. Yo no tiemblo.
La indignación me lo impide.

FIGURA 1.ª Ya temblarás, alimaña.

(Los cuatro se encuentran de nuevo en el escenario. Nuevo tema musical.)

LAS DOS FIGURAS.
Debéis sentaros para el largo viaje.

FIGURA 1.ª (*A* ELOY.)
Tú, aquí.

FIGURA 2.ª (*A* SIMÓN.)
Tú, aquí.

LAS DOS FIGURAS.
¡Permaneced muy quietos!

(Los sientan en las dos sillas del centro.)

FIGURA 1.ª Cerrad las escotillas.

FIGURA 2.ª *(Se inventa un lenguaje.)*
¡Houra Hauga!

(APOLINAR, *el* «DUQUE», *el* «MOZO DE MULAS», *se introducen un dedo en la boca e imitan el estampido de un taponazo.*)

FIGURA 1.ª ¡Mier kirir hull gaufin'dm blén'dem
[blén'dm!

(APOLINAR *inicia un rítmico siseo y lo marca con ademanes de director de orquesta. Casi todos lo secundan.*)

SIMÓN. ¿Qué ruido es ése?

LAS DOS FIGURAS.

Son nuestras turbinas.
Pronto despegaremos de la tierra.

(La Compañía sigue siseando bajo la imaginaria batuta de APOLINAR, *quien da con su izquierda, de pronto, la «entrada» a los cuatro designados. Éstos, que aferraban las sillas por los bordes del asiento, las levantan en vilo.)*

SIMÓN. ¡Ay!...

ELOY. Simón, no te asustes. Despegamos.

(El siseo general continúa, un tanto descompuesto por varias carcajadas contenidas.)

SIMÓN. Parece que se ríen...

FIGURA 1.ª Las turbinas
cambian los polos de su magnetismo.

SIMÓN. ¡No me gusta el reír de las turbinas!

(APOLINAR *indica que los bajen y los depositen lentamente en el suelo, alejándose luego.* APOLINAR *recomienda la amortiguación del silbido, que cesa poco a poco.)*

LAS DOS FIGURAS.

Ya estamos en el fondo de la noche.
Ya vuestra tierra es sólo una bolita.

SIMÓN. ¿Tan de prisa subimos?

LAS DOS FIGURAS.

Casi tanto
como un rayo de luz.

SIMÓN. ¡Qué mal me encuentro!

ELOY. ¿Qué pretendéis mostrarnos en el cielo?
FIGURA 1.ª Que haríais mejor llamándole un in-
¿Todavía no tiemblas? [fierno.
ELOY. Yo no tiemblo.
SIMÓN. Tampoco yo. Pero, ¡qué mal me encuen-
Este aire, ¿no es tenue y caluroso? tro!
FIGURA 2.ª Igual al vuestro lo hemos producido
para que respiréis cómodamente.
SIMÓN. Pues yo... me ahogo...
FIGURA 2.ª Porque tienes miedo.

(APOLINAR *hace una seña. Los que elevaron las sillas encienden las linternas y las pasean, con creciente ritmo, cerca de las cabezas vendadas.*)

SIMÓN. ¡Un resplandor!
ELOY. También yo lo he notado.
SIMÓN. ¡Otro más! ¡Y otro más! ¿Serán estrellas?
ELOY. No puede ser. Acaso meteoritos.
FIGURA 1.ª Tampoco meteoritos. Proyectiles.
SIMÓN. *(Muerto de miedo.)*
¿Proyectiles?
FIGURA 1.ª Estamos arrasando
las últimas ciudades que resisten.
SIMÓN. ¿En nuestra tierra?
FIGURA 1.ª No, infeliz. En Marte.
Nos encontramos cerca del planeta
y no hemos de dejar marciano vivo.
ELOY. ¿Os atacaron ellos?
FIGURA 1.ª Nunca.
FIGURA 2.ª Nunca.
LAS DOS FIGURAS.
Por eso es preferible adelantarse.
ELOY. Asesinos.

FIGURA 1.ª Tal vez. Pero vosotros
lo érais también en vuestra dulce Tierra.

(Explosiones muy fuertes en el exterior. Tapándose la boca, los cantantes ríen en silencio.)

SIMÓN. ¿No es la pedagogía?
FIGURA 2.ª ¿De qué hablas?
Nuestros resonadores electrónicos
recogen los sonidos del espacio.
FIGURA 1.ª Ese fragor es el del bombardeo
de uno de los satélites de Marte
que acaba de estallar desintegrado.
FIGURA 2.ª Ampliaremos los resonadores
y escucharéis a los supervivientes
sus deliciosas voces de agonía.

(Los portadores de linternas las chocan entre sí para fingir mecánicos ruidos. A lo largo de la escena siguiente los alteran con ráfagas de luz sobre las cabezas vendadas y sobre sus compañeros. APOLINAR *lanza un asombroso relincho y anima a los demás para que le imiten. La Compañía se dispone a completar la burla con enorme regocijo. Unos cuantos imitan el relincho de* APOLINAR*; otros añaden inmediatamente nuevos sones: ronquidos, estertores, prolongados ladridos que recuerdan al de la hiena... La improvisación les tienta; cada cual procura enriquecer el engaño y una curiosa excitación se enseñorea de todos. Tan sólo el* ELECTRICISTA *permanece frío y reprobatorio, mientras* MARTA *se horroriza y sufre.* APOLINAR *lanza*

desgarradas imprecaciones en un idioma inexistente. VICKY *lo secunda, mientras los demás instrumentan el acompañamiento de alaridos animales.)*

APOLINAR. ¡Han rielen prodest br ren'dm hu hul'-
VICKY. ¡Han rielen! ¡Hul'la, hul'la!... [laa!...
APOLINAR. ¡Gon dr zran dr!

(MICKY *se levanta y le espeta a* ELOY *muy cerca, sus alaridos.*)

MICKY. ¡Hul'la, hul'la! ¡Gr, gr! ¡Hu hu hu [hul'la!...

(Con inarticulados bramidos, el «DUQUE» *y* EFRÉN *zapatean en torno a los dos vendados. Orgiásticas danzas se van configurando. Con horrible risa de fiera,* TERESINA *empieza a girar, paseando las lúbricas manos sobre su cuerpo.)*

FIGURA 1.ª ¿Todavía no temes?
ELOY. ¡Nada temo!

(MICKY, VICKY, *la* «DUQUESA», *las* «MOZAS DEL PARTIDO», *se unen a* TERESINA *y danzan, provocativas, gorjeando cálidamente. Los hombres braman, relinchan y ululan más fuerte, cercándolas.* MARTA *se acurruca unos peldaños más abajo para evitar que la divisen. Los hombres sujetan a las mujeres, que gritan; las acarician y besan con ardor. Los portadores de linternas las tiran al suelo y se suman a la orgía. Van apagándose los gritos, que se truecan en jadeos. Pura y conmovida, la voz de* ELOY *se eleva para cantar lo que más abajo se transcribe. Poco antes, débiles puntos empezaron a brillar en el telón del fondo, y ahora el ambiente entero del escenario es una inmensa noche estrellada, bajo cuya alta calma se afantasman ruidos y movimientos. Lo humano de algunas exclamaciones, ciertas nerviosas carcajadas mal reprimidas, despertaron sospechas en* SIMÓN. *Tantea su silla y advierte lo familiar de sus formas. Entonces, con mucho cuidado, levanta un poco su venda para atisbar. Súbitamente se la arranca, la tira, se levanta y mira a todos con rencor. En el delirio general, casi nadie lo nota; tan sólo* APOLINAR *y las dos* FIGURAS. *La* FIGURA 2.ª *intenta retenerlo, pero él se desprende y avanza, sombrío, para sentarse a la izquierda de los escalones.* MARTA *lo mira, atribulada. Algunos se detienen y lo miran asimismo; pero, al cerciorarse de que calla, se encogen de hombros y vuelven a su diversión.* APOLINAR *y las* FIGURAS *lo miran de reojo, suspicaces. Furtivamente,* SALUSTIO *acosa y soba al* MOZUELO. *De repente* BÁRBARA *—a quien, por vieja, nadie acosaba— lanza un estridente alarido, eleva los brazos y se arroja sobre* TERESINA *con ánimo de besarla. Entregada a su propio rapto,* TERESINA *lo admite. Caen al suelo, abrazadas, y se revuelcan entre las* *bestiales sonrisas de todos.* SIMÓN *se vuelve y mira a* ELOY *de soslayo con defraudados ojos.* ELOY *sigue impertérrito su canto.*)

La dignidad de Marte se ha extinguido
bajo la quemazón de la vesania.
Mas sólo es una chispa su tragedia
en la incendiada majestad nocturna.
En vano desde naves iracundas
extenderéis la muerte sobre un campo
de años y años de luz. Muchos más siglos
de rauda luz os cercan, se os escapan,
burlando vuestro afán enloquecido.
¡Yo canto a una galaxia muy lejana
llena de paz, honor e inteligencia!
Ella os vigila con sus claros ojos
y aguarda piadosa vuestra muerte
para sembrar de gracia el universo.
Desde el fondo del tiempo nos acecha
sin impaciencias, porque el tiempo es [suyo.
Temblad ante su luz inalcanzable
porque ella vencerá, oh vencedores.
Podéis matarme, tristes carniceros.
¡Yo canto a una galaxia muy lejana!

(MARTA, *que sí lo escuchaba, fue levantándose poco a poco y ha subido al escenario. Su voz suplica de pronto tan estremecedoramente, que el jadeante pandemonium se detiene.*)

MARTA. ¡¡Por favor!!...

(Las mujeres se desprenden de los hombres; TERESINA *y* BÁRBARA *se levantan, rojas.)*

ELECTRICISTA. ¿Por qué gritas de ese modo?

(Una pausa. ELOY *se quita la venda y mira a todos con atroz desconcierto. Se levanta; todos evitan su mirada. Las dos* FIGURAS *se han quedado inmóviles como estatuas. El cielo estrellado va desapareciendo mientras vuelve la luz normal.)*

ELOY. Conque estoy nuevamente en el teatro...
Pero yo salí de él en una nave...
¡Ya lo comprendo! ¡Fue el poder marcia-
quien por extraña física me trajo! [no
¡Júpiter nada puede! ¡Vence Marte!
¡Alegría, alegría, compañeros!
¡Nunca relataré el horrendo viaje!
¡Le pesadilla atroz ha terminado!

(*A* MARTA.)

Gracias te doy, mujer incomparable.
La más feliz certeza me devuelves
con tu estelar presencia y con el grito
que al siniestro poder ha fulminado.

(MARTA *rehúye su mirada. Los demás lo escuchan y se miran, estupefactos. El* ELECTRICISTA *se toca la cabeza con un dedo y suspira.* APOLINAR *se vuelve hacia el proscenio con gesto de cómico asombro.* SIMÓN *gruñe, próximo a estallar.*)

SIMÓN. ¡Siga discurseando, señor mío!
ELOY. ¿Qué dices, insensato?
SIMÓN. ¡Que prosiga,
soltando paparruchas y sandeces,
y que los marcianitos se lo paguen!

ELOY. ¿Te has vuelto loco?
SIMÓN. ¡Y aún el hideperra
sigue mezclando berzas con capachos!
ELOY. ¿Qué farfullas?
SIMÓN. ¡Que somos dos payasos!
¡Que nunca hubo marcianos! ¡Que este
[tipo
de la escafandra no es lo que aparenta,
sino la puta es que me ha parido!
¡Y que cargue con todos Satanás!

(Se abalanzó a la FIGURA 1.ª *y, mientras termina de decirlo, le desenrosca la escafandra rápidamente y se la quita, descubriendo la aviesa sonrisa de* RODOLFO KOZAS. La FIGURA 2.ª *se descubre con sus propias manos y resulta ser* PEDRO. *Colérico y amargo,* ELOY *los mira.* SIMÓN *torna a sentarse en los escalones y agacha la cabeza. Algunas ahogadas risitas se clavan como alfileres en los oídos de* ELOY. *Música muy leve y prosaica, casi inexistente.)*

RODOLFO. Sólo una broma inocente
para que Eloy reflexione.
Le perdono sus insultos
y sus golpes, pues me basta
que reconozca la filfa
de sus historias marcianas.
«DUQUESA». ¿De dónde son esos trajes?
PEDRO. Pertenecen al engendro
que la Escuela del teatro
ensaya desde hace días.
«Mito» se llama la obra
y experimental la creen

APOLINAR. los pedantes jovenzuelos
que la llevan entre manos.

APOLINAR. Rodolfo Kozas sabía
que en el vestuario estaban
los disfraces espaciales.
¡Pero el juego de las luces
fue modesta idea mía!

(Risas que arrecian cuando el ELECTRICISTA *comenta, muy quemado.)*

ELECTRICISTA. No tiene ninguna gracia.

(Una pausa.)

ELOY. *(A* RODOLFO.*)*
Así que usted me ha engañado.

RODOLFO. Una lección bondadosa
que debes agradecerme.

(Le vuelve la espalda y, dándose tono, se sienta en una de las sillas. Los demás se sientan también en sillas, escalones y suelo, o se recuestan en la barandilla del escotillón. ELOY *mira fijamente a* MARTA*, sin saber qué pensar de ella.* MARTA *aparta sus ojos y va a sentarse a la derecha de los escalones.* ELOY *comienza su imprecación. Una imprecación nada enfática, de tono sencillo y triste, hijo de su duro desengaño. Sorda y funeral, la música evita asimismo el énfasis y, en su monótona simplicidad, resulta aún más sobrecogedora. Una absoluta negrura se extiende en el telón del fondo; poco después, rápidas imágenes de platillos entran, enormes, en el campo visual*

y se alejan aceleradamente hasta convertirse en puntitos luminosos que se extinguen. Otros y otros platillos aparecen, los siguen, se alejan, se convierten en puntos y desaparecen, hasta que la negrura absoluta vuelve a reinar.)

ELOY. Sé bien que no hay bondad en lo que ha
[hecho.
A hacerme pasar hambre, ha preferido
matar mi alma. Darme la evidencia
de que soy un imbécil y un iluso.
Pues bien, alégrese. Lo ha conseguido.
Tal vez mi flaco juicio no distingue
lo real de lo soñado. Quizá nunca
descendieron platillos a la Tierra.
Acaso nos desprecien y permitan
nuestra extinción en el apocalipsis
que estamos entre todos acercando.
Pero tal vez jamás hubo marcianos
y entonces soy un viejo trastornado.
Deliro frente a un mundo que delira
mientras ríe y se aturde sin saberlo.
¡Buena imagen del mundo fue su broma!
Esa espantosa guerra planetaria
en el cielo no está, sino en la Tierra.

RODOLFO. No tanto, amigo mío. No exageres.
No va tan mal el mundo y nuestro
[tiempo
mejor es que otros tiempos de la historia.

(Durante las siguientes palabras de ELOY, VICKY *y* MICKY *se conciertan con una mirada y desfilan de puntillas, desapareciendo por la izquierda.* APOLINAR *las ve partir, lo piensa y, con un ademán de repulsa al pesado sermón de* ELOY, *sale tras ellas alzándose la*

sotana. Sobre la negrura del fondo estallan ahora las imágenes de hongos y hongos atómicos, a las que sustituyen poco a poco numerosas visiones de exterminio: montones de cadáveres en campos de concentración, montañas de gafas, de brochas de afeitar, de zapatos; reses muertas, pájaros muertos, insectos muertos, somera cirugía de la guerra en caras cosidas donde faltan ojos, narices, orejas; gentes vendadas de arriba a abajo...)

ELOY. ¡Nuestro tiempo! Sin duda es dulce y
Se podía elegir no ser soldado [bello.
en otros siglos. Hoy ya no nos dejan.
Muy natural, pues que las viejas armas
avanzaron también dichosamente
para volverse termonucleares.
Pero no hay que temer que se detengan
estos bellos avances de la ciencia.
Con muy pocas monedas, cualquier pillo
fabricará de aquí a muy pocos años
atómicas pistolas diminutas,
lindas y esbeltas como transistores.
Los gobiernos prudentes no lo ignoran
y avanzarán no menos felizmente.
Sus leyes prohibirán el ejercicio
de toda libertad, que es peligrosa.

RODOLFO. No seas pesimista, ni el futuro
que desconoces augurar pretendas.

ELOY. Tiene razón. No hablemos del futuro.
Quizá las bombas Hache estallen antes
y ya no haya futuro. Del presente
me limitaré a hablar. Pronto se explica.
En él los hombres a entender empiezan
que no tienen más dios que el hombre
[mismo.

Tanto se ufanan de sus bellos cuerpos
que es casi más humano el jorobado...

(Repentino contraste musical.)

BÁRBARA. *(Da una cabezada.)*
¡Creo que me estoy durmiendo!

(Se levanta y se dirige a TERESINA.)

¿Te vienes al camerino?
Tengo exquisitos bombones...

TERESINA. *(Tras una mirada a* RODOLFO, *que la observa.)*
Más tarde...

BÁRBARA. *(Contrariada.)*
Como tú quieras.

(Sale por la izquierda. Poco después, algunos otros deciden marcharse, aburridos. Los demás bostezan cada vez más enérgicamente. Sobre la negrura del fondo se muestran a poco libros ardiendo, caras risueñas o gesticulantes, fusilamientos, ahorcaduras, garrote, guillotina, silla eléctrica en acción...)

ELOY. ¡Curioso animal-dios, listo y seguro!
Prepara guerra y cree que tendrá paz.
A la mentira llama cortesía.
Besuquea, fornica y cree que ama.
Si está aterrado, bebe y se divierte.
Procrea sin freno por matar su angustia
y aumenta así la angustia de la Tierra.
Quema o prohíbe libros, y supone
que a la verdad y al bien está sirviendo.

Y para suprimir al disidente
lo llama previamente can rabioso.

(El MOZUELO *se retira con un gesto de incomprensión. Silbando levemente y con aire ingenuo,* SALUSTIO *desfila tras él. Bostezos generales, bastante ruidosos; en el fondo, visiones de hambrientos.)*

Los cultivos mejora cada día
y hay diez mil muertos cada día de ham-
[bre.
De sus avances puede envanecerse:
todas las explosiones de una guerra
durante cuatro años arrasados
guarda hoy cómodamente en su bodega
un solo submarino nuclear.

(Repentino contraste musical.)

«DUQUESA». ¡Jesús, si ya son las nueve!
«DUQUE». ¿Las nueve de la mañana?
Pues no perdamos más tiempo.

(La toma de una mano y se la lleva. En el fondo reina otra vez absoluta negrura; de pronto, una estrellita resplandece en su centro y crece con rapidez. Pronto se advierte que es la imagen de un niñito que sonríe. La imagen se agiganta y, poco después, sus ojos risueños e inmensos ocupan todo el campo visual. Así permanecen, inmóviles.)

ELOY. ¡Curioso animal-dios, listo y seguro!
Adora ciegamente a sus hijitos

y desde pequeñines les concede
la instrucción militar, los uniformes
y las brillantes armas de juguete.
Con la televisión de cada día
les enseña lo nobles y agradables
que los espías son, cuando asesinan.
También aprende el niño en la pantalla
que sus papás saben matar mil niños
o achicharrarlos vivos lentamente,
y que es muy natural que así suceda,
y que también ellos lo harán, si crecen.
Para crecer, que ensanchen sus pulmo-
puesto que sobra aire envenenado. [nes
Sus papás son tan listos como el listo
que se ha orinado en un tonel de vino
mientras cierra los ojos, porque piensa
que nadie notará la picardía.
Sus papás sin cesar estallan bombas
que orinan en el aire radiaciones,
pero nadie las ve, nadie las nota.
Quizá mi niño aspire todavía
casi-vino en lugar de casi-orines.
O mi mujer, que va a parir mañana
un lindo nene sin deformidades.
Los deformes a causa del uranio
siempre serán los hijos de otros padres...

(Repentino contraste musical.)

ARÍSTIDES. Yo voy a comer un poco.
EFRÉN. ¡Y yo a dormir siete horas!

(Salen ambos.)

ELOY. Así es el hombre y este paraíso.
Que nadie se exceptúe. Yo tampoco.

Sé que también a mí me han poseído
el rencor y la envidia.

(Se arrodilla.)

¡Que no valgo
más que vosotros, y he de confesarlo!

(Con benévolo ademán de triunfo por las palabras que acaba de oír, RODOLFO *se levanta y se dispone a irse.* TERESINA, *que lo espiaba, lo retiene tímidamente. Repentino contraste musical.)*

TERESINA. ¿Te espero en tu camerino?

(RODOLFO *la mira duramente, y asiente. Luego sale por la derecha, seguido de* PEDRO. TERESINA *sale corriendo por la izquierda.*)

ELOY. Podéis reíros de este pobre iluso
que todavía busca una esperanza.
Incapaces de afecto y de cordura,
de encadenar la muerte desatada,
de volver en vergel la oscura charca
donde se pudre nuestra verde Tierra,
burlaos de un cantante necio y viejo
que gime bajo llagas incurables,
si sueña en otros cielos y otros astros
la humanidad que aquí hemos violado.

(Humilla la cabeza. Explosiones. Los grandes ojos infantiles del fondo se alejan rápidos. La figura entera del niño se achica hasta volverse un punto de luz que brilla un momento en la negrura y se extingue. Otras explosiones lejanas. El ELECTRICISTA

se levanta, consultando su reloj. Repentino contraste musical.)

ELECTRICISTA. El supuesto continúa
y está el teatro vendido.

(Se encoge de hombros, mientras recoge las linternas abandonadas.)

Lo terminarán a tiempo
de la función de esta tarde.

(Mira a ELOY, *menea compasivo la cabeza y sale, con los ojos fijos en la cabina invisible.)*

Revisaré la cabina
para quedarme tranquilo.

(ELOY *se ha quedado solo con* MARTA *y* SIMÓN. *Una pausa.* ELOY *levanta la cabeza y mira a* MARTA, *que contempla el vacío con ojos absortos.*)

ELOY. ¡Marta!... ¡Marta!...

(MARTA *se estremece, pero no lo mira. Él se levanta y va hacia ella.*)

Dime que aquello fue verdad, no engaño,
y que nos salvarán nuestros hermanos...

(La oprime por los hombros. Ella llora en silencio.)

Yo te amaba... Te amaba. Y ahora callas.
¿Desperté entonces o despierto ahora?

(MARTA *se levanta bruscamente y mira con ojos arrasados las manos su-*

plicantes de ELOY, *denegando conmovida para correr al fin al escotillón, por el que baja.* ELOY *la ve descender desde la barandilla y luego se vuelve, lento, hacia* SIMÓN.)

¡Simón!... ¡Simón!...

(SIMÓN *se estremece, pero no lo mira.* ELOY *da unos pasos hacia él.*)

Nos mandan padecer escarnio y burlas,
mas no debemos flaquear. ¡Hermano!
¡Dime que fue verdad! ¡Que lo recuerdas!
¡Tú escuchaste las notas siderales!

SIMÓN. Quizá es que me zumbaban los oídos.

ELOY. ¡Volverás a escucharlas, te lo juro!
¡El yelmo es el auténtico testigo!

(Corre a la derecha del fondo y desaparece.)

SIMÓN. Los sesos tiene hechos agua
y yo soy un pobre asno.
Ni seré burgomaestre
ni chambelán de platillos.
Seguiré soltando gallos,
cobrando mi escaso sueldo,
y renegando y bufando.
Ésta es la vida, Simplicio.
A tus hijos nunca digas
cuando te pidan zapatos
que tendrán botitas de oro
por marcianos regaladas.

(ELOY *volvió, con la bacía en las manos y los ojos brillantes. Se acerca de puntillas y percute algunas veces sobre el metal, que suena a latón.* SIMÓN *se vuelve.*)

ELOY. Para que nunca dudes, y comprendas
el inmenso favor que has recibido,
permitiré que cubras tu cabeza
con este yelmo, cuando en él suscite
la voz dorada del planeta hermano.

(Percute varias veces. Percute una y otra vez, sorprendido... Percute sonriente, esperanzado. Percute, receloso... Percute y percute y percute, atribulado... La bacía suena a latón.)

SIMÓN. *(Se levanta.)*
¡Sí que es dorada voz! ¡De latón puro!

ELOY. ¡Antes sonaba!

SIMÓN. ¡Nunca habrá sonado!
¡A usted y a mí nos faltan los tornillos
de la sesera y escuchamos músicas
lo mismo que viajamos en platillos!

ELOY. ¡Cállate!

SIMÓN. ¡Bien callado que me quedo!
¡Y usted con su platillo... de barbero!

(Va hacia su camerino.)

ELOY. No te vayas, Simón.

(SIMÓN *entra en su camerino y cierra con un portazo.*)

No me abandones.

(ELOY *percute un poco más, en vano, sobre la bacía. Se la pone en la cabeza, se esfuerza en escuchar. Deniega, som-*

brío, y se sienta en los escalones junto a la barandilla del escotillón.)

Un loco. No soy más que un pobre loco.

(Permanece inmóvil, con los ojos cerrados. El ELECTRICISTA *reaparece por la derecha del fondo y se le acerca, sonriendo paternalmente. Ya a su lado, da en la bacía un papirotazo.* ELOY *se yergue, con la fugaz ilusión de que el yelmo revive.)*

ELECTRICISTA. *(Con afecto.)*
¡Don Quijote!...

(ELOY *se vuelve y lo ve. Se quita la bacía y la deja junto a la barandilla. Agacha la cabeza.)*

Convénzase, buen hombre.
Nadie vive en los cielos que usted ama,

ELOY. Pues si es así, lloremos.

ELECTRICISTA. ¡O riamos!
El mundo no es tan malo como cree
y nunca hubo catástrofes completas.
Sabremos remontar las venideras
igual que remontamos otras muchas.
¿O no lo piensa así?

ELOY. *(Seco.)*
No es imposible.
Pero mal podrá ser sin agoreros.
Para evitar que lo peor suceda
hay que gritar que puede sucedernos.
Y el infalible modo de que ocurra
es confiar en que se arregle todo.

(El ELECTRICISTA *lo mira fríamente y, sin responder, se aparta y sale por*

la izquierda. Una pausa. ELOY *apoya su mano en la bacía, angustiado. Poco a poco vuelve la cabeza hacia el escotillón.)*

¡Subid!... ¡Subid de nuevo, hermanos [míos!

(Se levanta y se abalanza a la barandilla para mirar abajo, sollozando.)

¡Devolvedme la música y la vida!

(Nadie sube. Desalentado, se acerca ELOY *a su camerino y escucha. Saca la llave y abre suavemente. El interior está oscuro.* ELOY *contempla al dormido invisible y vuelve a cerrar sin ruido. Vencido, mira a todos lados, como si aún esperase —muy poco ya— alguna presencia extraordinaria. Agotado, vuelve a sentarse junto a la bacía, apoyando brazos y cabeza sobre las rodillas. Larga pausa. En el telón del fondo se proyecta la esfera de un gran reloj con las manecillas en acelerado movimiento. Las diez, las once, las doce... Las agujas siguen marcando la sucesión de las horas vacías. Espaciadas, se oyen las voces de los* VISITANTES, *que despiertan ecos en la gran bóveda del sueño.* ELOY *no despierta, pero se solivianta al percibirlas.)*

VOCES DE LOS VISITANTES.
Eloy... Eloy... Eloy... Eloy... Eloy...
Dirás que al fin hemos aterrizado...
Mas nosotros quizá no aparezcamos...

Tendrás que soportar la amarga prue-
[ba...
de las horas vacías de esperanza...
Pero tú no flaquees. No estás solo...
Porque tú eres legión... Legión... Le-
[gión...

VOZ DE MARTA.

Eloy... Eloy... Se acerca la gran prueba...
Has de afrontarla cual si nunca hubiera
marcianos. Cual si nunca hubieras sido
legión... Piensa que soy una muchacha
humilde, sin misterio, torpe y boba...
Al soportar la prueba que te aguarda...
sentirás que estás solo... Solo... Solo...

(El reloj marcó horas silenciosas. Al llegar a las siete y media, las manecillas se detienen y se oye una campanada lejana. La imagen de la esfera se esfuma y el escenario recobra su trivial iluminación. Óyense timbres diversos. Magnificada por un altavoz invisible, la voz de ARCADIO PALMA *desciende a la escena.)*

VOZ DEL SR. PALMA.

¡Atención, atención todo el teatro!
Os habla el director Arcadio Palma.
Comunica el Gobierno que el supuesto
terminó ya. Pocos minutos faltan
para empezar nuestra función diaria.
La orquesta está ocupando sus asientos.
Vístanse todos. Pongan decorados.
Gracias por su civismo en estas horas.

(Se corta la conexión. Rendido por el cansancio, ELOY *se derrengó hace tiempo sobre la tarima y continúa dormido.*

Consultando su reloj, el ELECTRICISTA *entra rápidamente por la izquierda. Al cruzar se detiene un segundo para mirar a* ELOY *y menea la cabeza, compasivo. Luego desaparece por la derecha. Poco después suben del foso dos mujeres de la limpieza con escobas y cogedores. Una es joven; la otra, vieja.)*

MUJER JOVEN. Dése prisa, mujer.
MUJER VIEJA. Estoy cansada.
MUJER JOVEN. Pues muy bien que comimos y dormi- [mos.

(Cruza y empieza a barrer aquí y allá, recogiendo montoncitos de colillas y basura.)

MUJER VIEJA. *(Empieza a hacer lo mismo.)*
Cada vez que hay fingido ataque atómi- [co
nos regalan el cuerpo.
MUJER JOVEN. ¡Que haya muchos!
MUJER VIEJA. Lo mismo me da a mí. Poco me queda...

(Repara en ELOY.*)*

Pero, mira este pobre...
MUJER JOVEN. ¡Vaya curda!
¡Déle un buen escobazo, que despierte!
MUJER VIEJA. No.
MUJER JOVEN. ¿Por qué no?
MUJER VIEJA. Porque él no está borracho.
MUJER JOVEN. ¡A lo mejor, palmó!
MUJER VIEJA. No lo conoces,
pero yo sí, desde hace muchos años.
Fue primera figura en esta sala
y ahora ya no es nadie. ¡Perro mundo!

(Con un dedo en los labios.)

No alces la voz. Dejemos que descanse.

(LA MUJER JOVEN *se encoge de hombros y barre. Terminan ambas su somero repaso del suelo y salen por la izquierda, recogiendo por el camino alguna otra basurilla, al tiempo que suben por el escotillón los seis* TRAMOYISTAS. *Por un segundo contemplan al dormido con silenciosa gravedad; luego se dispersan y retiran las sillas del escenario, volviendo para disponer el escueto decorado; un pozo a la izquierda con una pileta anexa; una portalada con tejavana, sesgada, a la derecha. Entretanto, sube* MARTA *corriendo por el escotillón, mira a* ELOY *un momento y desaparece por la derecha del fondo para volver poco después con la adarga, la lanza, la espada, las espuelas y el casco de Don Quijote. El* REGIDOR *de escena entra por la derecha y comprueba todo;* MARTA *coloca sobre la pileta la espada, las espuelas y el casco; la adarga y la lanza las reclina contra el pozo. El* REGIDOR *la observa y rectifica levemente la posición de algunos de los objetos. Después sale por la izquierda. Van encendiéndose las luces y focos de escena.* MARTA *se acerca a* ELOY, *divisa la bacía y va a tomarla. Pero se detiene, asombrada. Los* TRAMOYISTAS *interrumpen también su trabajo, sorprendidos. Una potente voz los ha paralizado a todos. Empuñando una pistola, apareció un hombre por el lateral izquierdo, al tiempo que numerosos* POLICÍAS *de paisano irrum-*

pen en el patio de butacas. El ritmo musical se torna rápido, sincopado y nervioso.)

POLICÍA 1.º ¡Que nadie se mueva!

POLICÍA 2.º *(Desde la sala.)* ¡Quietos donde están!

(Sube, con seis o siete POLICÍAS *más, al escenario. Los demás se apostan en el pasillo y en diversos rincones del patio de butacas.* SIMÓN *sale de su camerino vestido de Sancho.)*

REGIDOR. ¿Qué ocurre?

SIMÓN. ¿Qué pasa?

POLICÍA 1.º *(Por los* TRAMOYISTAS.) A éstos, mucho ojo.

(Cuatro POLICÍAS *se acercan a los* TRAMOYISTAS; *los demás que han subido desaparecen por los laterales. Los* TRAMOYISTAS *se apiñan cerrando los puños. Uno de ellos repele con brusquedad a un* POLICÍA *que intenta aferrarlo; los otros avanzan hacia los restantes* POLICÍAS. *El* POLICÍA 1.º *los encañona y el* POLICÍA 2.º *saca rápido su pistola.* SIMÓN *cruza para despertar a* ELOY.)

POLICÍA 2.º ¡Arriba las manos!

(Los TRAMOYISTAS *las levantan de mala gana.* SIMÓN *despierta a* ELOY.)

POLICÍA 1.º ¡No hagan resistencia!

SIMÓN. *(Asustado.)* ¡Eloy, visitantes!

(Se guarece tras él, buscando amparo.)

POLICÍA 1.º (*Al otro.*)
¡Cachea sus ropas!

(*El* POLICÍA 2.º *cachea brutalmente a los* TRAMOYISTAS. ELOY *se ha levantado y contempla, atónito, la escena.*)

REGIDOR. (*Se adelanta.*)
¡Son los tramoyistas!

POLICÍA 1.º (*Mientras lo aparta sin contemplaciones, al* POLICÍA 2.º)
Mira bien sus caras
por si es uno de ellos.

(*El* POLICÍA 2.º *enfoca a los* TRAMOYISTAS *con una linterna. A medio vestir, van acudiendo los cantantes.* RODOLFO *viene entre ellos, con las ropas y coraza de Don Quijote.* ELOY *retrocede hacia su camerino, y, sin perder de vista a los* POLICÍAS, *lo abre, entra y cierra suavemente.*)

POLICÍA 2.º Ninguno parece.

POLICÍA 1.º Lo comprobaremos.

(*A los* TRAMOYISTAS.)

¡Atrás! ¡Retrocedan!

POLICÍA 2.º ¡Despejen la escena!

(*Los van llevando hacia el escotillón, amenazados por las pistolas.*)

POLICÍA 1.º ¡Siéntense aquí dentro!

POLICÍA 2.º ¡No bajen las manos!

(*Los* TRAMOYISTAS *se sientan, de espaldas, en los peldaños del escotillón y levantan las manos. Sus siluetas re-*

cuerdan extrañamente a las de los seis VISITANTES, *que* ELOY *creyó ver, cuando le saludaron. El* POLICÍA 2.º *se queda junto a la barandilla, apuntándolos.* MARTA *y* SIMÓN, *que están cerca, lo miran con los ojos medrosos.)*

RODOLFO. *(Con su mejor sonrisa.)* ¿Qué ocurre, señores?

POLICÍA 1.º *(Que vuelve al centro.)* ¡No admito preguntas!

(La sonrisa de RODOLFO *se borra en el acto. El* REGIDOR *fue entre tanto hacia el telón del fondo; la voz del* POLICÍA 1.º *lo detiene.)*

¡Que nadie se mueva!

REGIDOR. *(Protesta.)* ¡Vamos a empezar!

POLICÍA 1.º Traiga antes las llaves.

REGIDOR. ¿Qué llaves?

POLICÍA 1.º Maestras.

«DUQUESA». *(Aún sin vestir.)* Pero, ¿qué sucede?

APOLINAR. *(Que sigue con su sotana.)* ¿Qué ocurre?

MUCHOS. ¿Qué ocurre?

(Con su condecoración al cuello, en mangas de camisa y con el chaleco del frac desabrochado, irrumpe por la izquierda el SR. PALMA *acompañado de un* COMISARIO DE POLICÍA. *Los* POLICÍAS *se cuadran.)*

SR. PALMA. Calma, mucha calma. Cuestión de minutos.

Estos caballeros
persiguen a un hombre
y hemos de ayudarlos.

(El ELECTRICISTA *aparece por la derecha y escucha.)*

SALUSTIO. ¿A uno de nosotros?
COMISARIO. *(Cortés y sonriente.)*
Es un incendiario
y muy peligroso.
Él y sus compinches
quemaron anoche
el Palacio Viejo.
MUCHOS. ¡Qué horror! ¡Qué salvaje!
COMISARIO. Tendrá su castigo.
MICKY. ¿Y está en el teatro?
COMISARIO. A la madrugada
se escondió aquí dentro.
Estamos seguros.

(El SR. PALMA *va entretanto a mirar por el orificio del telón.)*

SR. PALMA. ¡Atrápenlo pronto
pues hay que empezar!
¡Ya hay gente en butacas!

(Mira, nervioso, su reloj.)

MUCHOS. ¡Por favor! ¡Aprisa!
COMISARIO. *(A dos* POLICÍAS.)
Ustedes, al foso.

(A otros dos.)

Ustedes, registren
en los camerinos.

(Los dos primeros pasan entre los TRAMOYISTAS *y bajan por el escotillón. Los*

otros dos desaparecen por los laterales. El COMISARIO *advierte a la Compañía.)*

Y ustedes, cuidado,
pues es muy probable
que lleve algún arma.

(Musicales gritos de espanto entre las mujeres. Alguna intenta huir.)

SR. PALMA. ¡No salgan de escena!
Podrían toparlo
en algún pasillo...

(Se repiten los gritos musicales.)

POLICÍA 3.º *(Desde la sala.)*
¡Mire, Comisario!
COMISARIO. ¿Qué?
POLICÍA 3.º *(Por el público.)*
Toda esta gente
vino de la calle.
COMISARIO. *(Al público.)*
¡Salgan de esta sala!
¡Circulen! ¡Despejen!
¡Están estorbando
a la policía!

(Nadie se mueve.)

¡Puede haber disparos!
¡Salgan sin tardanza!

(Nadie se mueve.)

POLICÍA 3.º *(Al* COMISARIO.*)*
¡La sala se llena!

COMISARIO. *(Se encoge de hombros.)*
¡No tenemos tiempo
para discusiones!

(*Al* SR. PALMA.)

¿Qué hay tras esas puertas?

SR. PALMA. Son dos camerinos.

(El COMISARIO *se dirige al de* SIMÓN. *Los* POLICÍAS *lo siguen. El camerino de* ELOY *se abre de pronto y el perseguido aparece. El sombrero calado, las gruesas gafas, la bufanda, el abrigo raído, le dan un trágico aire de fantoche. Antes de que reparen en él corre a la escalerilla de la derecha y baja al patio de butacas.)*

MUCHOS. ¡Allá va! ¡Se escapa!

(Los POLICÍAS *se vuelven instantáneamente; el que vigilaba a los* TRAMOYISTAS *intenta detener al fugitivo y es rechazado.)*

COMISARIO. *(Hacia la sala.)*
¡Vosotros, alerta!

(Los POLICÍAS *de la sala sacan sus pistolas. Asustada, la Compañía arrecia en sus musicales gritos; casi todos escapan y desaparecen por los laterales. Los* TRAMOYISTAS *bajan las manos y se vuelven para mirar.)*

SR. PALMA. ¡Por favor, no griten!
POLICÍA 1.º ¡Deténgase! ¡Alto!

POLICÍA 2.º ¡Es él! ¡Lo conozco!

POLICÍA 3.º *(En el pasillo de la sala.)*
¡Alto! ¡No se mueva!

POLICÍA 4.º *(En la sala.)*
¡Está acorralado!

SR. PALMA. *(Suplica al* COMISARIO, *señalando al telón del fondo.)*
¡Por favor, sin ruido!
¡No asusten al público!

(Entretanto el perseguido ha corrido entre las butacas, procurando escapar del cerco de POLICÍAS *que se estrecha. A su paso, hay espectadores que lo rehúyen, que se levantan, que lanzan musicales exclamaciones. El perseguido gana el pasillo central y los* POLICÍAS *de los lados pasan entre butacas para ir allá. Más rápido, los burla él por un pasillo transversal y logra salir por una de las puertas laterales. Los* POLICÍAS *3.º y 4.º salen tras él. En el escenario reaparecen los que fueron a registrar y a apostarse.)*

COMISARIO. (*Severo, a los* POLICÍAS.)
¡Tienen que atraparlo!

(El perseguido reaparece pronto en un palco, cuyos ocupantes emiten musicales gritos. Los POLICÍAS *de la sala lo encañonan. Él retrocede rápido y desaparece, para reaparecer en seguida en otro palco. Los* POLICÍAS *3.º y 4.º, que lo siguieron, aparecen entonces en el palco anterior y el 3.º dispara. El perseguido sale aprisa del segundo palco. El* POLICÍA *3.º se queda en el primer palco, vigilando hacia arriba; el*

4.º desaparece para seguir la persecución.)

LOS TRAMOYISTAS.

¡No le disparéis!
¡Es un ser humano!

POLICÍA 3.º *(En el palco.)*
¡Va armado!

POLICÍA 5.º *(En la sala.)*
!Va armado!

LOS TRAMOYISTAS.

¡No es cierto! ¡Mentira!

(Risas musicales de los POLICÍAS.)

POLICÍA 5.º *(Riendo en la sala.)*
¡Va armado!

POLICÍA 3.º *(Riendo, en el palco.)*
¡Va armado!

COMISARIO. ¡No tiren a muerte
que tiene que hablar!

POLICÍA 4.º *(Su voz por los pasillos de fuera.)*
¡Deténgase! ¡Alto!
¡No tiene salida!

(Provocando nuevos gritos musicales, el perseguido reaparece en la barandilla alta, al lado opuesto del palco donde se le vio poco antes. El POLICÍA *5.º, desde la sala; el 3.º, desde el palco; el 1.º, desde el escenario, disparan. El perseguido desaparece. Vuelve a oírse la voz del* POLICÍA *en los pasillos.)*

¡Deténgase o tiro!

(El SR. PALMA *fue a mirar de nuevo por el orificio del telón y se desata en consternados ademanes.)*

SR. PALMA. ¡No hagan tanto ruido!

LOS TRAMOYISTAS.
¡Él no lleva armas!

(El perseguido reaparece en un palco proscenio muy alto. Jadeante y desconcertado, no sabe por dónde salir. Varias pistolas lo encañonan rápidamente.)

MARTA. *(Con las manos juntas.)*
¡No, no! ¡Por favor!

(Al mismo tiempo, un hombre flaco y larguirucho, en mangas de camisa, aparece en la puerta del camerino de ELOY *y, con gestos que denuncian su atroz miopía, profiere.)*

ISMAEL. ¡Aquí estoy! ¡Me entrego!
¡No le disparéis!

(Sus palabras llegan tarde. Un disparo desde el escenario efectuado casi al mismo tiempo alcanza al perseguido, que se tambalea. Se levantan en la sala musicales gritos femeninos. La música describe un efecto descendente y las miradas de los congregados en el escenario siguen la imaginaria caída de un cuerpo desde el palco al centro del proscenio, donde, con un enorme golpe que el timbal subraya, aparece súbitamente el perseguido. Dos POLICÍAS *sujetan a* ISMAEL*; los otros se acercan al caído. Los cantantes que escaparon van reapareciendo. Los* PO-

LICÍAS *le despojan al caído del sombrero, las gafas, la bufanda. Es* ELOY. MARTA *solloza.)*

COMISARIO. No es él. No lo entiendo.
POLICÍA 1.º Un cómplice ha sido.
LOS TRAMOYISTAS.
¡No llevaba armas!

(El COMISARIO *los considera fríamente. Después mira de soslayo a la sala y se interpone entre ella y el cuerpo para disimular sus movimientos, lo cual no impide, sin embargo, que se advierta cómo pone en la mano de* ELOY *su propia pistola.)*

COMISARIO. Va armado.
POLICÍA 1.º Va armado.
POLICÍA 2.º (*A los* TRAMOYISTAS.)
¡Que nadie lo niegue!

(Los TRAMOYISTAS *lo miran iracundos, pero callan.* MARTA *y el* SEÑOR PALMA *corren junto a* ELOY *y lo incorporan hasta arrodillarlo.)*

SR. PALMA. Está agonizando...
ISMAEL. Por favor, mis gafas.
Yo soy Ismael.
Los dos supusimos
que no habría disparos
y quiso salvarme.

(Un POLICÍA *le tiende las gafas, que él se pone. La música se torna suave y triste.)*

COMISARIO. ¿Fuiste tú quien le ha dado la pistola?
ISMAEL. Es de usted la pistola, Comisario.

(Los POLICÍAS *que lo sujetan lo golpean.)*

COMISARIO. *(Irritado por la respuesta.)*
¡Ponedle al incendiario las esposas!

(Lo hacen. ELOY *levanta con dificultad la cabeza y reconoce a su amigo. El* COMISARIO *indica que se lleven al detenido. Los* POLICÍAS *empujan a* ISMAEL, *que se detiene junto a* ELOY.)

ISMAEL. Perdona, Eloy. Debí salir a tiempo.
Inútil todo ha sido. Tú te mueres...
Yo moriré también. Somos dos locos.
ELOY. No es todo inútil... Aunque no lo entien-
[das...
Los actos son semillas... que germinan...
Germinará tu acción... También la mía.
ISMAEL. *(Escéptico.)*
Tal vez.
POLICÍA 2.° (*Empuja a* ISMAEL.)
¡Camina!
SR. PALMA. *(Mirando su reloj.)*
¡Salgan, salgan pronto!

(*El* POLICÍA *del palco, los apostados en la sala, fueron subiendo al escenario. Ahora salen todos por la izquierda tras los que conducen a* ISMAEL. *Los* POLICÍAS 1.° *y* 2.° *permanecen junto al* COMISARIO.)

REGIDOR. *(Consulta su reloj.)*
¿Ordeno batería, señor Palma?

SR. PALMA. *(Muy nervioso.)*
¡Prevención a la orquesta! ¡Batería!

(El REGIDOR *sale por la derecha. Los cantantes desaparecen aprisa.* RODOLFO *no se mueve y mira a* ELOY *desde lejos con turbados ojos. El* ELECTRICISTA *permanece también en escena. El* SEÑOR PALMA *corre al fondo para mirar por el orificio, soltando el brazo de* ELOY. ELOY *se vence, sujeto a duras penas por* MARTA. SIMÓN *toma la bacía caída y corre a sostener a* ELOY *por el brazo que el* SR. PALMA *abandonó.)*

SIMÓN. *(Llorando.)*
No se nos muera, Eloy, hágame caso...
¡Vea lo que le traigo! Su remedio...

(Le encaja la bacía en la cabeza.)

Esto le va a curar... Usted lo sabe...

(Percute entretanto, tierno y grotesco, sobre la bacía, que devuelve su ahogado sonido de latón.)

ELOY. Simón, no hay que llorar, pues no estoy [solo...

(Con sus ojos tremendamente fijos en los de MARTA.)

Yo canto a una galaxia muy lejana.

(Su cabeza se abate y se le desencaja la bacía, que cae ante él. Ha muerto.

MARTA y SIMÓN lo depositan blandamente en el suelo. Llega del fondo el comienzo de una obertura española donde se entreveran sones de guitarras. El SR. PALMA vuelve del fondo y suplica al COMISARIO DE POLICÍA.)

SR. PALMA. Aquí no pueden dejarlo...

COMISARIO. *(A los dos POLICÍAS que han quedado.)* Llévenlo a su camerino.

(Los POLICÍAS 1.º y 2.º se acercan al cuerpo de ELOY. Uno de ellos recoge con un pañuelo la pistola que retenía en su mano y se la guarda. Los TRAMOYISTAS, que miraban desde el escotillón donde los POLICÍAS los confinaron, se miran entre sí, suben al escenario y se acercan a su vez. Cuando los POLICÍAS se disponen a levantar el cuerpo, dos TRAMOYISTAS les tocan en la espalda. Los POLICÍAS los miran. Mirándolos con gesto impenetrable, todos los TRAMOYISTAS deniegan y los apartan, suave, pero resueltamente. Después levantan ellos el cadáver y se encaminan, lentos, hacia el camerino de la derecha. Uno de ellos se adelanta, lo abre y enciende la luz. Diríase que la obertura del fondo subraya, melancólica, esta muda marcha fúnebre. SIMÓN y MARTA van detrás del grupo. RODOLFO retrocede, sin dejar de mirarlo con inquietos ojos, que se quedan fijos en la puerta del camerino después que los TRAMOYISTAS la trasponen con el cuerpo. El COMISARIO toca en el brazo al SR. PALMA y le indica que lo

acompañe; con un movimiento de cabeza, ordena luego a los dos POLICÍAS *que le sigan. Salen los cuatro por el lateral izquierdo.* SIMÓN *se sienta en los escalones, cerca del camerino;* MARTA *contempla, desde la puerta, el invisible cuerpo de* ELOY. *El* ELECTRICISTA, *que miraba también desde el escenario, observa la crispada cara de* RODOLFO, *suspira y repasa los focos con la mirada. Los* TRAMOYISTAS *van saliendo del camerino; tres de ellos cruzan para salir por la izquierda y los otros tres desaparecen tras el recodo del muro en el hombro derecho del escenario.* MARTA *no se ha movido. La luz que ilumina a la bacía caída parece brillar más; repentinamente, comienza a sonar la extraña sucesión de notas que* ELOY *oía en ella y que pronto gana intensidad. El* ELECTRICISTA *echa a andar para salir por la derecha, pero se detiene y se vuelve, intrigado, hacia la bacía. No se sabe si oye algo o si le sorprende, simplemente, la indebida presencia del objeto en el suelo. Perplejo, se rasca la cabeza, se pasa la mano por la cara y opta por seguir su camino sin hacer caso, saliendo.* SIMÓN *vuelve despacio la cabeza y mira, asombrado, a la bacía. El* REGIDOR *entra rápidamente en escena por la izquierda, comprueba con una ojeada la disposición de la misma y vuelve a la izquierda para dar unas débiles palmadas. Luego corre a la derecha, pero, a la mitad del camino, se detiene y mira a la bacía un segundo. Sin darle más importancia, sigue su rápida marcha y palmea débilmente hacia la derecha, saliendo por ella. Por la izquierda entra presuroso* SALUSTIO *(El Ventero) con un libro en la mano, y cruza la escena para salir de ella y apostarse junto a la portalada de la derecha. Sin dejar de andar, se volvió un momento a mirar a la bacía. Por la derecha entra y se sitúa a su lado el* MOZUELO, *con una vela encendida. Entran también por la derecha las dos* MOZAS DEL PARTIDO, *quienes, al cruzar, se detienen cerca de la bacía y se miran perplejas. El* REGIDOR *asoma un instante por la derecha y les palmea débilmente, instándolas a correr y a situarse junto al pozo. Una de ellas toma de la pileta la espada desnuda de Don Quijote y la otra las espuelas.* MARTA *se vuelve, con una expresión nueva. Severa y penetrante, su mirada ya no es la de una infeliz muchacha. Sin mostrar sorpresa, mira a la bacía y se encamina a recogerla.* SIMÓN *no la pierde de vista.* RODOLFO, *que no se ha movido y la ve llegar, mira a la bacía, por primera vez, con zozobra y disgusto. Con sencillo y sereno ademán,* MARTA *levanta la bacía y mira a* RODOLFO. *Él desvía la vista y va a situarse delante de las dos* MOZAS. *Sosteniendo la bacía y seguida por la intranquila mirada de* RODOLFO, MARTA *vuelve sobre sus pasos.* SIMÓN *se levanta al verla llegar y contempla el paso de la bacía con respeto y temor. Luego sigue, sumiso, tras la muchacha.*

La obertura concluye y, al tiempo que la lejana orquesta ataca un nuevo motivo, el telón del fondo comienza a subir. MARTA *y* SIMÓN *entran en el camerino de* ELOY, *cuya puerta se cierra suavemente; pero las notas de la bacía, trocadas ya en invasora catarata, siguen mezclándose curiosamente con las mesuradas tonalidades del fondo. El telón sube del todo, Don Quijote se arrodilla y el Ventero, seguido del* MOZUELO, *entra en escena.* RODOLFO *no logra concentrarse; sus miradas se escapan hacia el camerino de* ELOY. *La* MOZA *que sostenía la espada se la entrega al Ventero, quien, tras susurrar ininteligiblemente durante breves instantes lo que finge leer en su libro a la luz de la vela, da a don Quijote la pescozada y el espaldarazo. Mas también en su actuación se ha deslizado algún indeciso roce, alguna involuntaria pausa, alguna inquieta mirada de soslayo. Don Quijote se levanta y le dedica una profunda inclinación, que el Ventero le devuelve. Es evidente que todos trabajan fríamente esta noche y que su pensamiento se encuentra en otro lado. La* MOZA *recobra la espada y se la mete a Don Quijote en la vaina; la otra* MOZA *se arrodilla y le calza las espuelas. Entretanto, se oye la segunda estrofa de la copla castellana, que alguna moza de la venta canta fuera, y su melodía también se entrama raramente con las notas incontables que parecen salir del camerino cerrado.)*

VOZ 5.ª El Caballero llegaba
a la fontecica fría
para aliviar su agonía
y el agua no le saciaba...

(Las cortinas comienzan a correrse muy despacio. Terminado de armar, don Quijote se enfrenta al oscuro hueco de la sala del fondo y eleva sus brazos para cantar. A sus espaldas, Ventero, MOZAS *y* MOZUELO *fingen reprimir sus risas. La música se va amortiguando y es ya un hilo sonoro cuando terminan de cerrarse las*

CORTINAS